崇文馆 家庭典藏

崇文国学经典 普及文库

# 幽梦影

（清）张潮◎撰
方文◎编注

长江出版传媒
崇文书局

# 幽梦影

图书在版编目（CIP）数据

幽梦影 /（清）张潮撰；方文编注.
—武汉：崇文书局，2017.1
（崇文国学经典普及文库）
ISBN 978-7-5403-4270-8
Ⅰ. ①幽…
Ⅱ. ①张… ②方…
Ⅲ. ①人生哲学－中国－清代
Ⅳ. ①B821.22
中国版本图书馆CIP数据核字（2016）第251385号

出品人 潘启胜

统筹 陈中琼
责任编辑 陈中琼 李城湘

出版发行 长江出版传媒｜崇文书局
地址 武汉市雄楚大街268号C座11层
电话 (027)87293001 邮政编码 430070

印刷 中印南方印刷有限公司
开本 889×1194 1/32
印张 7
字数 168千字
版次 2017年1月第1版
印次 2017年1月第1次印刷
定价 25.80元
（如发现印装质量问题，影响阅读，请与承印厂调换）

# 总序

现代意义的“国学”概念，是在19世纪西学东渐的背景下，为了保存和弘扬中国优秀传统文化而提出来的。1935年，王缁尘在世界书局出版了《国学讲话》一书，第3页有这样一段说明：“庚子义和团一役以后，西洋势力益膨胀于中国，士人之研究西学者日益众，翻译西书者亦日益多，而哲学、伦理、政治诸说，皆异于旧有之学术。于是概称此种书籍曰‘新学’，而称固有之学术曰‘旧学’矣。另一方面，不屑以旧学之名称我固有之学术，于是有发行杂志，名之曰《国粹学报》，以与西来之学术相抗。‘国粹’之名随之而起。继则有识之士，以为中国固有之学术，未必尽为精粹也，于是将‘保存国粹’之称，改为‘整理国故’，研究此项学术者称为‘国故学’……”从“旧学”到“国故学”，再到“国学”，名称的改变意味着褒贬的不同，反映出身处内忧外患之中的近代诸多有识之士对中国优秀传统文化失落的忧思和希望民族振兴的宏大志愿。

从学术的角度看，国学的文献载体是经、史、子、集。崇文书局的这一套国学经典普及文库，就是从传统的经、史、子、集中精选出来的。属于经部的，如《诗经》《论语》《孟子》《周易》《大学》《中庸》《左传》；属于史部的，如《战国策》《史记》《三国志》《贞观政要》《资治通鉴》；属于子部的，如《道德经》《庄子》《孙子兵法》《鬼谷子》《世说新语》《颜氏家训》《容斋随笔》《本草纲目》《阅微草堂笔记》；属于集部的，如《楚辞》《唐诗三百首》《豪放词》《婉约词》《宋词三百首》《千家诗》《元曲三百首》《随园诗话》。这套书内容丰富，而分量适中。一个希望对中国优秀传统文化有所了解的人，读了这些书，一般说来，犯常识性错误的可能性就很小了。

崇文书局之所以出版这套国学经典普及文库，不只是为了普及国学常识，更重要的目的是，希望有助于国民素质的提高。在国学教育中，有一种倾向需要警惕，即把中国优秀的传统文化“博物馆化”。“博物馆化”是20世纪中叶美国学者列文森在《儒教中国及其现代命运》中提出的一个术语。列文森认为，中国传统文化在很多方面已经被博物馆化了。虽然中国传统的经典依然有人阅读，但这已不属于他们了。“不属于他们”的意思是说，这些东西没有生命力，在社会上没有起到提升我们生活品格的作用。很多人阅读古代经典，就像参观埃及文物一样。考古发掘出来的珍贵文物，和我们的生命没有多大的关系，和我们的生活没有多大关系，这就叫作博物馆化。“博物馆化”的国学经典是没有现实生命力的。要让国学经典恢复生命力，有效的方法是使之成为生活的一部分。崇文书局之所以强调普及，深意在此，期待读者在阅读这些经典时，努力用经典来指导自己的内外生活，努力做一个有高尚的人格境界的人。

国学经典的普及，既是当下国民教育的需要，也是中华民族健康发展的需要。章太炎曾指出，了解本民族文化的过程就是一个接受爱国主义教育的过程："仆以为民族主义如稼穑然，要以史籍所载人物制度、地理风俗之类为之灌溉，则蔚然以兴矣。不然，徒知主义之可贵，而不知民族之可爱，吾恐其渐就萎黄也。"(《答铁铮》)优秀的传统文化中，那些与维护民族的生存、发展和社会进步密切相关的思想、感情，构成了一个民族的核心价值观。我们经常表彰"中国的脊梁"，一个毋庸置疑的事实是，近代以前，"中国的脊梁"都是在传统的国学经典的熏陶下成长起来的。所以，读崇文书局的这一套国学经典普及读本，虽然不必正襟危坐，也不必总是花大块的时间，更不必像备考那样一字一句锱铢必较，但保持一种敬重的心态是完全必要的。

期待读者诸君喜欢这套书，期待读者诸君与这套书成为形影相随的朋友。

陈文新

（教育部长江学者特聘教授，武汉大学杰出教授）

# 前言

“花不可以无蝶”，这是林语堂先生60多年前，在他的接连印刷了40余次的英文版的《生活的艺术》中，在向西方读者介绍中国人具有东方情调的生活方式时，所引用的中国清代文人张潮的名著《幽梦影》中的一句话。

《幽梦影》就是缘于林语堂先生的这一介绍，而从几百年前走到了现在，从而被今天的读者所接受，所欣赏，所喜爱。

《幽梦影》的特点之一，正如林语堂先生所说的那样，在于反映了中国文人享受大自然的审美情趣。例如“花不可以无蝶，山不可以无泉，石不可以无苔，水不可以无藻，乔木不可以无藤萝，人不可以无癖”，又如“梅边之石宜古，松下之石宜拙，竹傍之石宜瘦，盆内之石宜巧”，再如“玩月之法，皎洁则宜仰观，朦胧则宜俯视”，等等。只有衣食无虞、能够充分享受生活自由的人，方可如此挥洒审美的个性，方能产生这样高雅的情趣。所以《幽梦影》中的内容，尤其可以引起现代人们的阅读兴趣。

《幽梦影》的另一个特点，在于书中有不少关于人生的警句。例如谈读书与人生阅历的关系：“少年读书，如隙中窥月；中年读书，如庭中望月；老年读书，如台上玩月。皆以阅历之浅深，为所得之浅深耳”，又如“善读书者，无之而非书，山水亦书也，棋酒亦书也，花月亦书也；善游山水者，无之而非山水，书史亦山水也，诗酒亦山水也，花月亦山水也”，这些话是何等的精辟。

再如谈世事：“胸中小不平，可以酒消之；世间大不平，非剑不能消也”，还有“痛可忍，而痒不可忍；苦可耐，而酸不可耐”，还有“美味以大嚼尽之，奇境以粗游了之，深情以浅语传之，良辰以酒食度之，富贵以骄奢处之，俱失造化本怀”，等等，又是何等的洞察世态人情。

《幽梦影》能够得到现代读者的欣赏，除了内容方面的原因外，还有阅读上的原因，也就是说，即使从阅读形式上看，这本书也确实有它能够吸引现代读者的地方。

《幽梦影》是一种“文艺的格言”（林语堂语），它的那种语录体的形式，灵光一现的断想式的内容，以及善用比喻的写作风格，都与现代读者追求轻松和直观形象的阅读习惯非常吻合，特别是在大多数格言的后面，又有数条其他文人添加的或赞同、或反对、或戏谑、或调侃、或生发的内容，竟和现在最为新潮的因特网上的留言帖子差不多了。这种活泼的整体风格既为读者在阅读中增添了若干兴味，又不乏哲思。

相信读者能从这样的阅读中感悟生活的艺术，领略读书的快乐！

## 幽梦影

目录

contents

# 目录

## 幽梦续影

目录

# 幽梦影

〔清〕张潮 撰　方文 编注

# 余怀序

余穷经读史之余，好览稗官小说，自唐以来，不下数百种，不但可以备考遗志，亦可以增长意识。如游名山大川者必探断崖绝壑，玩乔松古柏者必采秀草幽花，使耳目一新，襟情怡宕，此非头巾褦襶、章句腐儒之所知也。故余于咏诗撰文之暇，笔录古轶事、今新闻，自少至老，杂著数十种。如《说史》《说诗》《党鉴》《盈鉴》《东山谈苑》《汗青余语》《砚林》《不妄语述》《茶史补》《四莲花斋杂录》《曼翁漫录》《禅林漫录》《读史浮白集》《古今书字辨讹》《秋雪丛谈》《金陵野钞》之类，虽未雕版问世，而友人借抄，几遍东南诸郡，直可傲子云而睨君山矣。天都张仲子心斋，家积缥缃，胸罗星宿，笔花缭绕，墨沈淋漓。其所著述与余旗鼓相当，争奇斗富，如孙伯符与太史子义相遇于神亭，又如石崇、王恺击碎珊瑚时也。其《幽梦影》一书，尤多格言妙论，言人之所不能言，道人之所未经道。展味低徊，似餐帝浆沆瀣，听钧天广乐，不知此身之在下方尘世矣。至如"律己宜带秋气，处世宜带春气"、"婢可以当奴，奴不可以当婢"、"无损于世谓之善人，有害于世谓之恶人"、"寻乐境乃学仙，避苦境乃学佛"，超超玄箸，绝胜支、许清谈，人当镂心铭腑，岂止佩韦书绅而已哉！鬘持老人余怀广霞制。

# 孙致弥序

心斋著书满家，皆含经咀史，自出机杼，卓然可传。是编是其一脔片羽，然三才之理、万物之情、古今人事之变，皆在是矣。顾题之以“梦”且“影”云者，吾闻海外有国焉，夜长而昼短，以昼之所为为幻，以梦之所遇为真。又闻人有恶其影而欲逃之者。然则梦也者，乃其所以为觉；影也者，乃其所以为形也耶？庾辞讔语，言无罪而闻足戒，是则心斋所为尽心焉者也。读是编也，其亦可以闻破梦之钟，而就阴以息影也夫。江东同学弟孙致弥题。

# 石庞序

张心斋先生家自黄山，才奔陆海。楠榴赋就，锦月投怀；芍药词成，繁花作馔。苏子瞻十三楼外，景物犹然；杜牧之廿四桥头，流风仍在。静能见性，洵哉人我不间，而喜嗔不形；弱仅胜衣，或者清虚日来，而滓秽日去。怜才惜玉，心是灵犀；绣腹锦胸，身同丹凤。花间选句，尽来珠玉之音；月下题词，已满珊瑚之笥。岂如兰台作赋，仅别东西；漆园著书，徒分内外而已哉！然而繁文艳语，止才子余能；而卓识奇思，诚词人本色。若夫舒性情而为著述，缘阅历以作篇章，清如梵室之钟，令人猛省；响若尼山之铎，别有深思。则《幽梦影》一书，余诚不能已于手舞足蹈、心旷神怡也。其云“益人谓善，害物谓恶”，咸仿佛乎外王内圣之言。又谓“律己宜秋，处世宜春”，亦陶熔乎诚意正心之旨。他如片花寸草，均有会心；遥水近山，不遗玄想。息机物外，古人之糟粕不论；信手拈时，造化之精微入悟。湖山乘兴，尽可投囊；风月维潭，兼供挥麈。金绳觉路，宏开入梦之毫；宝筏迷津，直渡广长之舌。以风流为道学，寓教化于诙谐。为色为空，知犹有这个在；如梦如影，且应作如是观。湖上晦村学人石庞序。

# 〇〇一　读经宜冬

**读经宜冬，其神专也；读史宜夏，其时久也；读诸子[①]宜秋，其致别也；读诸集宜春，其机畅也。**

曹秋岳曰：可想见其南面百城[②]时。

庞笔奴曰：读《幽梦影》，则春夏秋冬，无时不宜。

**【注释】**

①诸子：指先秦的各家学派。《汉书·艺文志》："战国从衡，真伪分争，诸子之言纷然殽乱。"

②南面：古代天子、诸侯和卿大夫理政时皆南向坐，以南向为尊。《论语·雍也》："子曰：'雍也，可使南面。'"南面百城：形容皇帝君临天下，后以喻坐拥书城。

## 〇〇二　独读与共读

**经传宜独坐读，史鉴宜与友共读。**

孙恺似曰：深得此中真趣，固难为不知者道①。

王景州曰：如无好友，即红友②亦可。

**【注释】**

①难为不知者道：很难对不了解其中趣味的人说清楚。

②红友：酒的别称。王世贞《三月三日屋后桃花下小酌红酒》诗："偶然儿子致红友，聊为桃花飞白波。"

## 〇〇三　无善无恶是圣人

**无善无恶是圣人**如帝力何有于我①；杀之而不怨，利之而不庸②；以直报怨，以德报德③；一介不与，一介不取④之类。

**善多恶少是贤者**如颜子不贰过，有不善未尝不知；子路人告有过则喜⑤之类。

**善少恶多是庸人，有恶无善是小人**其偶为善处，亦必有所为。

**有善无恶是仙佛**其所谓善，亦非吾儒之所谓善也。

黄九烟曰：今人一介不与者甚多，普天之下，皆半边圣人也。利之不庸者，亦复不少。

江含征曰：先恶后善，是回头人；先善后恶，是两截人。

殷日戒曰：貌善而心恶者，是奸人，亦当分别。

冒青若曰：昔人云："善可为而不可为。"唐解元⑥诗云："善亦懒为何况恶。"当于有无多少中更进一层。

【注释】

①帝力何有于我：皇帝又能把我怎么样呢？见古歌《击壤歌》："吾日出而作，日入而息，凿井而饮，耕田而食，帝力何有于我哉？"

②杀之而不怨，利之而不庸：语见《孟子·尽心上》。庸：酬谢。

③"以直报怨"句：语见《论语·宪问》："或曰：'以德报怨，何如？'子曰：'何以报德？以直报怨，以德报德。'"

④一介不与，一介不取：语见《孟子·万章上》，意思是一点好处不给别人，也不要别人的一点好处。

⑤颜子不贰过：语见《论语·雍也》，意思是不犯同样的错误。子路人告有过则喜：语见《孟子·公孙丑上》，即闻过则喜之意。

⑥唐解元：即明代文学家、画家唐寅，字伯虎。

# 〇〇四　一物知己可免恨

天下有一人知己，可以不恨[①]。不独人也，物亦有之。

如菊以渊明为知己[②]，梅以和靖为知己[③]，竹以子猷为知己[④]，莲以濂溪为知己[⑤]，桃以避秦人为知己[⑥]，杏以董奉为知己[⑦]，石以米颠为知己[⑧]，荔枝以太真为知己[⑨]，茶以卢仝、陆羽为知己[⑩]，香草以灵均为知己[⑪]，莼鲈以季鹰为知己[⑫]，蕉以怀素为知己[⑬]，瓜以邵平为知己[⑭]，鸡以处宗为知己[⑮]，鹅以右军为知己[⑯]，鼓以祢衡为知己[⑰]，琵琶以明妃为知己[⑱]。

一与之订，千秋不移。若松之于秦始，鹤之于卫懿[⑲]，正所谓不可与作缘者也。

查二瞻曰：此非松鹤有求于秦始、卫懿，不幸为其所近，欲避之而不能耳。

殷日戒曰：二君究非知松鹤者，然亦无损其为松鹤。

周星远曰：鹤于卫懿，犹当感恩。至吕政五大夫之爵，直是唐突十八公[20]耳。

王名友曰：松遇封，鹤乘轩，还是知己，世间尚有劚松煮鹤者，此又秦、卫之罪人也。

张竹坡曰：人中无知己，而下求于物，是物幸而人不幸矣；物不遇知己，而滥用于人，是人快而物不快矣。可见知己之难，知其难，方能知其乐。

**【注释】**

①恨：遗憾。

②菊以渊明为知己：晋陶渊明有“采菊东篱下，悠然见南山”的诗句。

③梅以和靖为知己：宋林和靖隐居，人称梅妻鹤子。

④竹以子猷为知己：晋王羲之，字子猷，一生爱竹。

⑤莲以濂溪为知己：宋周敦颐，居濂溪，人称濂溪先生，有《爱莲说》一文。

⑥桃以避秦人为知己：晋陶渊明《桃花源记》中称桃花源中人为“避秦人”。

⑦杏以董奉为知己：三国人董奉行医，每治愈一人种一棵杏树，日久成林。

⑧石以米颠为知己：用米芾见顽石下拜一典。

⑨荔枝以太真为知己：唐杨太真，小名玉环，喜啖荔枝。
⑩茶以卢仝、陆羽为知己：唐卢仝、陆羽分别有《茶歌》和《茶经》。
⑪香草以灵均为知己：屈原在《离骚》中以香草喻美人。
⑫莼鲈以季鹰为知己：晋张翰，字季鹰，以思念家乡的莼羹和鲈鱼脍为由，辞官而归。
⑬蕉以怀素为知己：唐书法家怀素幼时家贫，以芭蕉叶练字。
⑭瓜以邵平为知己：汉邵平原为秦侯，秦亡后种瓜为生。
⑮鸡以处宗为知己：晋宋处宗养鸡，鸡可用人语与处宗对话。
⑯鹅以右军为知己：晋王羲之官至右军将军，爱鹅。
⑰鼓以祢衡为知己：三国魏祢衡曾被曹操贬为鼓吏。
⑱琵琶以明妃为知己：汉王昭君抱琵琶出塞。
⑲松之于秦始：《史记》载，秦始皇在泰山的松下避雨，因封此松为五大夫。鹤之于卫懿：《左传》载，卫懿公好鹤，以大夫的规格待之。
⑳十八公：松的拆字为十八公。

# 〇〇五　为月忧云

**为月忧云，为书忧蠹[1]，为花忧风雨，为才子佳人忧命薄，真是菩萨心肠。**

余淡心曰：洵[2]如君言，亦安有乐时耶？

孙松坪曰：所谓君子有终身之忧者耶？

黄交三曰："为才子佳人忧命薄"一语，真令人泪湿青衫[3]。

张竹坡曰：第四忧，恐命薄者消受不起。

江含征曰：我读此书时，不免为蟹忧雾。

竹坡又曰：江子此言，直是为自己忧蟹耳。

尤悔庵曰：杞人忧天，嫠妇忧国[4]，无乃类是。

**【注释】**

①蠹：一种吃书的小虫。

②洵：确实，诚然。《诗经·陈风·宛丘》："洵有情兮，而无望兮。"

③泪湿青衫：语出白居易《琵琶行》："座中泣下谁最多，江州司马青衫湿。"

④嫠妇忧国：嫠妇，寡妇。《左传》中有"嫠妇忧国"之语。

## 〇〇六　花不可以无蝶

**花不可以无蝶，山不可以无泉，石不可以无苔，水不可以无藻，乔木不可以无藤萝，人不可以无癖[①]。**

黄石闾曰：事到可传皆具癖，正谓此耳。

孙松坪曰：和长舆却未许藉口[②]。

【注释】

①明张岱《陶庵梦忆》：“人无癖不可与交，以其无深情也。”

②和长舆却未许藉口：和长舆，晋人，富有而为人悭吝，人谓之有钱癖。藉口：借口。

# 〇〇七　春听鸟声

**春听鸟声，夏听蝉声，秋听虫声，冬听雪声；白昼听棋声，月下听箫声，山中听松声，水际听欸乃[①]声，方不虚生此耳。若恶少斥辱[②]，悍妻诟谇，真不若耳聋也。**

黄仙裳曰：此诸种声颇易得，在人能领略耳。

朱菊山曰：山老所居，乃城市山林，故其言如此。若我辈日在广陵[③]城市中，求一鸟声，不啻如凤凰之鸣，顾可易言耶？

释中洲曰：昔文殊选二十五位圆通，以普门耳根为第一，今心斋居士耳根不减普门，吾他日选圆通，自当以心斋为第一矣。

张竹坡曰：久客者，欲听儿辈读书声，了不可得。

张迂庵曰：可见对恶少悍妻，尚不若日与禽虫周旋也。又曰：读此方知先生耳聋之妙。

**【注释】**

①欸乃：桨声。也代指船歌和渔歌。柳宗元《渔翁》诗："烟销日出不见人，欸乃一声山水绿。"

②斥辱:呵斥,辱骂。下句的"诟谇"意同。
③广陵:古地名,即今天的扬州。

## 〇〇八　择友酌酒

**上元[1]须酌豪友,端午须酌丽友,七夕[2]须酌韵友,中秋须酌淡友,重九[3]须酌逸友。**

朱菊山曰:我于诸友中,当何所属耶?

王武征曰:君当在豪与韵之间耳。

王名友曰:维扬丽友多,豪友少,韵友更少,至于淡友、逸友,则削迹矣。

张竹坡曰:诸友易得,发心酌之者为难能耳。

顾天石曰:除夕须酌不得意之友。

徐砚谷曰:惟我则无时不可酌耳。

尤谨庸曰:上元酌灯,端午酌彩丝,七夕酌双星[4],中秋酌月,重九酌菊,则吾友俱备矣。

【注释】

①上元:农历正月十五为上元节,也称元宵节。《开元天宝遗事·百枝灯树》:"上元夜点之,百里皆见。"
②七夕:节日名。农历七月初七的晚上为七夕节,相传牛郎织女每年的七夕在天河相会。

③重九:农历九月初九为重九,也称重阳节。陶潜《九日闲居诗序》:"余闲居,爱重九之名,秋菊盈园。"

④双星:指牵牛星和织女星。杜甫《奉酬薛十二丈判官见赠》诗:"相如才调逸,银汉会双星。"

## 〇〇九　物类神仙

**鳞虫中金鱼,羽虫中紫燕,可云物类神仙。正如东方曼倩避世金马门①,人不得而害之。**

江含征曰:金鱼之所以免汤镬②者,以其色胜而味苦耳。昔人有以重价觅奇特者,以馈邑侯。邑侯他日谓之曰:"贤所赠花鱼殊无味。"盖已烹之矣。世岂少削圆方竹杖③者哉?

**【注释】**

①东方曼倩:即东方朔,字曼倩,汉大夫,尝曰:"宫殿中可以避世全身,何必深山之中,蒿庐之下。"金马门:汉代宫门名,东方朔到长安时曾待诏于此。

②汤镬:放入锅内用滚水煮。

③削圆方竹杖:将方竹的手杖削圆,指不识珍贵之物,没有眼光。

## 〇一〇　入世与出世

**入世须学东方曼倩，出世须学佛印了元[1]。**

江含征曰：武帝高明喜杀，而曼倩能免于死者，亦全赖吃了长生酒耳。

殷日戒曰：曼倩诗有云："依隐玩世，诡时不逢[2]。"此其所以免死也。

石天外曰：入得世，然后出得世，入世出世打成一片，方有得心应手处。

**【注释】**

①佛印了元：宋代僧人了元，号佛印。

②依隐玩世，诡时不逢：意思是虽仕犹隐，与世事不即不离。

## 〇一一　赏花宜对佳人

**赏花宜对佳人，醉月宜对韵人，映雪宜对高人。**

余淡心曰：花即佳人，月即韵人，雪即高人。既已赏花、醉月、映雪，即与对佳人、韵人、高人无异也。

江含征曰：若对此君仍大嚼，世间那有扬州鹤[1]。

张竹坡曰：聚花、月、雪于一时，合佳、韵、高为一人，吾当不赏而心醉矣。

【注释】

①扬州鹤：语出南朝梁殷芸《小说·吴蜀人》：“有客相从，各言所志：或愿为扬州刺史，或愿多资财，或愿骑鹤上升。其一人曰：‘腰缠十万贯，骑鹤上扬州。’欲兼三者。”后用以比喻贪心妄想。

## 〇一二　读人如读书

**对渊博友，如读异书；对风雅友，如读名人诗文；对谨饬友[1]，如读圣贤经传；对滑稽[2]友，如阅传奇小说。**

李圣许曰：读这几种书，亦如对这几种友。

张竹坡曰：善于读书取友之言。

【注释】

①谨饬友：指谨慎周到、自律甚严的朋友。

②滑稽：能言善辩、口才很好的意思。《史记·滑稽列传》：“淳于髡者，齐之赘婿也。长不满七尺，滑稽多辩，数使诸侯，未尝屈辱。”

## 〇一三　楷书须如文人

**楷书须如文人，草书须如名将，行书介乎二者之间，如羊叔子缓带轻裘[①]，正是佳处。**

程韡老曰：心斋不工书法，乃解作此语耶？

张竹坡曰：所以羲之必做右将军[②]。

**【注释】**

①羊叔子：晋将军，平日不着铠甲，缓带轻裘，儒将风度。

②羲之：即晋代书法家王羲之，曾官至右军将军，人称王右军。因上文说“草书须如名将”，故这里有此语。

## 〇一四　入诗与入画

**人须求可入诗，物须求可入画。**

龚半千曰：物之不可入画者，猪也，阿堵物[①]也，恶少年也。

张竹坡曰：诗亦求可见得人，画亦求可像个物。

石天外曰：人须求可入画，物须求可入诗，亦妙。

【注释】

①阿堵物：代指钱。《世说新语》载，晋王夷甫口不言钱，指钱为“阿堵物”。

## 〇一五　识见与襟怀

**少年人须有老成之识见，老成人须有少年之襟怀。**

江含征曰：今之钟鸣漏尽[①]、白发盈头者，若多收几斛麦，便欲置侧室[②]，岂非有少年襟怀耶？独是少年老成者少耳。

张竹坡曰：十七八岁便有妾，亦居然少年老成。

李若金曰：老而腐板，定非豪杰。

王司直曰：如此方不使岁月弄人。

【注释】

①钟鸣漏尽：时间已逝的意思。钟与漏，都是古代计时的器物。

②侧室：这里指小妾。

## 〇一六　春与秋

**春者，天之本怀[①]；秋者，天之别调。**

石天外曰：此是透彻性命关头[2]语。

袁中江曰：得春气者，人之本怀；得秋气者，人之别调。

尤悔庵曰：夏者，天之客气；冬者，天之素风。

陆云士曰：和神当春，清节为秋，天在人中矣。

**【注释】**

①本怀：指某种根本和基础的东西。

②透彻性命关头：指看透了人生的真谛。

## 〇一七 翰墨棋酒

**昔人云："若无花月美人，不愿生此世界。"予益[1]一语云："若无翰墨[2]棋酒，不必定作人身。"**

殷日戒曰：枉为人身生在世界者，急宜猛省。

顾天石曰：海外诸国，决无翰墨棋酒。即有，亦不与吾同，一般有人，何也？

胡会来曰：若无豪杰文人，亦不须要此世界。

【注释】

①予：我。《尚书·汤誓》："时日曷丧，予与汝皆亡。"益：增加。《荀子·哀公》："故富贵不足以益也，卑贱不足以损也。"

②翰墨：指笔墨或文章，也指书法或绘画。

## 〇一八　愿在木而为樗

**愿在木而为樗**不才，终其天年[①]，**愿在草而为蓍**前知[②]，**愿在鸟而为鸥**忘机[③]，**愿在兽而为廌**触邪[④]，**愿在虫而为蝶**花间栩栩，**愿在鱼而为鲲**逍遥游。

吴园次曰：较之《闲情》一赋[⑤]，所愿更自不同。

郑破水曰：我愿生生世世为顽石。

尤悔庵曰：第一大愿。又曰：愿在人而为梦。

尤慧珠曰：我亦有大愿，愿在梦而为影。

弟木山曰：前四愿皆是相反，盖前知则必多才，忘机则不能触邪也。

【注释】

①樗：树名。《庄子》中说，樗木因不合用而免遭砍伐，从而终其天年。

②蓍：草名。古代用蓍草占卦，可预知未来。

③这句大意为：像鸟一样自由自在地飞翔。

④廌：兽名，传说中廌能判别曲直。

⑤《闲情》一赋：指陶潜的《闲情赋》，赋中有“愿在衣而为领，承华首之余芳”、“愿在裳而为带，束窈窕之纤身”等句。

## 〇一九　古今人必有偶双

**黄九烟先生云：“古今人必有其偶双，千古而无偶者，其惟盘古乎？”**

**予谓盘古亦未尝无偶，但我辈不及见耳。其人为谁？即此劫尽时最后一人是也。**

孙松坪曰：如此眼光，何啻出牛背上耶[①]？

洪秋士曰：偶亦不必定是两人，有三人为偶者，有四人为偶者，有五六七八人为偶者，是又不可不知。

**【注释】**

①《世说新语》中记王衍遭人羞辱而对之坦然，说：“汝看我目光，乃出牛背上。”谓眼光远大。

## 〇二〇　我爱夏日长

**古人以冬为三余[①]，予谓当以夏为三余，晨**

**起者夜之余，夜坐者昼之余，午睡者应酬人事之余。古人诗曰："我爱夏日长。"洵不诬[2]也。**

张竹坡曰：眼前问冬夏皆有余者，能几人乎？

张迂庵曰：此当是先生辛未年以前语。

**【注释】**

①三余：《三国志·魏志·王肃传》中，记魏人董遇教学生利用"三余"的时间读书，谓："冬者岁之余，夜者日之余，阴雨者时之余。"

②诬：没有根据的说法。

## 〇二一　庄周梦蝶

**庄周梦为蝴蝶[1]，庄周之幸也；蝴蝶梦为庄周，蝴蝶之不幸也。**

黄九烟曰：惟庄周乃能梦为蝴蝶，惟蝴蝶乃能梦为庄周耳。若世之扰扰红尘者，其能有此等梦乎？

孙恺似曰：君于梦之中，又占其梦耶？

江含征曰：周之喜梦为蝴蝶者，以其入花深也。若梦甫酣[2]而乍醒，则又如嗜酒者梦赴席，而为妻惊醒，不得不痛加诟谇矣。

张竹坡曰：我何不幸而为蝴蝶之梦者？

【注释】

①庄周梦为蝴蝶：典出《庄子·齐物论》："昔者庄周梦为蝴蝶，栩栩然蝴蝶也。"后人常用庄周梦蝶形容人生的虚幻无常。

②甫：刚，正。酣：深入，深沉。

## 〇二二　艺花可以邀蝶

**艺花可以邀[1]蝶，累石可以邀云，栽松可以邀风，贮水可以邀萍，筑台可以邀月，种蕉可以邀雨，植柳可以邀蝉。**

曹秋岳曰：藏书可以邀友。

崔莲峰曰：酿酒可以邀我。

尤艮斋曰：安得此贤主人？

尤慧珠曰：贤主人非心斋而谁乎？

倪永清曰：选诗可以邀谤[2]。

陆云士曰：积德可以邀天，力耕可以邀地。乃无意相邀而若邀之者，与邀名邀利者迥异。

庞天池曰：不仁可以邀富。

【注释】

①邀：邀请，这里是吸引、引来的意思。

②邀谤：招致批评和毁谤。意谓选诗是一桩吃力不讨好的事情。

## 〇二三　景·境·声

**景有言之极幽而实萧索者，烟雨也；境有言之极雅而实难堪者，贫病也；声有言之极韵而实粗鄙者，卖花声也。**

谢海翁曰：物有言之极俗而实可爱者，阿堵物也。

张竹坡曰：我幸得极雅之境。

## 〇二四　富贵之源

**才子而富贵，定从福慧双修[1]得来。**

冒青若曰：才子富贵难兼，若能运用富贵才是才子，才是福慧双修。世岂无才子而富贵者乎？徒自贪着，无济于人，仍是有福无慧。

陈鹤山曰：释氏云："修福不修慧，象身挂璎珞。修慧不修福，罗汉供应薄。"正以其难兼耳。山翁发为此论，直是夫子自道。

江含征曰：定可拼一副菜园肚皮，不可有一副酒肉面孔。

**【注释】**

①福慧双修：原指福德和智慧都至善至美，后指既有福分，又聪明智慧。唐代慧立《大慈恩寺三藏法师传》："菩萨为行，福慧双修，智人得果，不忘其本。"

## 〇二五　新月与缺月

**新月恨其易沉，缺月恨其迟上。**

孔东塘曰：我唯以月之迟早为睡之迟早耳。

孙松坪曰：第[①]勿使浮云点缀尘滓太清，足矣。

冒青若曰：天道忌盈，沉与迟，请君勿恨。

张竹坡曰：易沉迟上，可以卜君子之进退[②]。

**【注释】**

①第：但，只。作副词用。王禹偁《黄冈竹楼记》："江山之外，第见风帆、沙鸟、烟云、竹树而已。"

②卜君子之进退：预测官场上的升迁与退隐。卜：推测，估计。进退：升迁与退隐。

## 〇二六　躬耕与灌园

**躬耕[1]吾所不能，学灌园而已矣[2]；樵薪[3]吾所不能，学薙草[4]而已矣。**

汪扶晨曰：不为老农，而为老圃，可云半个樊迟。

释菌人曰：以灌园薙草自任自待，可谓不薄，然笔端隐隐有"非其种者锄而去之"之意。

王司直曰：予自名为识字农夫，得毋妄甚？

**【注释】**

①躬耕：亲自种田。《三国志·管宁传》："昭乃转居陆浑山中，躬耕乐道，以经籍自娱。"

②灌园：从事农活。这里代指弃官而退隐家园。灌：输水浇地。

③樵薪：砍柴。

④薙草：除野草。

## 〇二七　人生十恨

**一恨书囊易蛀，二恨夏夜有蚊，三恨月台易漏[1]，四恨菊叶多焦，五恨松多大蚁，六恨竹多落叶，七恨桂荷易谢，八恨薜萝藏虺[2]，九恨架花生刺，十恨河豚多毒。**

江药庵曰：黄山松并无大蚁，可以不恨。

张竹坡曰：安得诸恨物尽有黄山乎？

石天外曰：予另有二恨，一曰才人无行，二曰佳人薄命。

**【注释】**

①月台易漏：指赏月的良辰过得太快。月台：赏月的露天平台。杜甫《徐九少尹见过》诗："赏尽怜云竹，忘归步月台。"漏：古代计时的器物。

②虺：一种毒蛇，这里泛指小蛇。

## 〇二八　月下看美人

**楼上看山，城头看雪，灯前看月，舟中看霞，月下看美人，另是一番情境。**

江允凝曰：黄山看云，更佳。

倪永清曰：做官时看进士，分金处[1]看文人。

毕右万曰：予每于雨后看柳，觉尘襟俱涤[2]。

尤谨庸曰：山上看雪，雪中看花，花中看美人，亦可。

**【注释】**

①分金：分配金钱。处：时。分金处：指牵涉到金钱的时候。

②尘襟：世俗的杂念。白居易《答元八宗简同游曲江后明日见赠》诗："赖闻瑶华唱，再得尘襟清。"俱：全部，完全。涤：荡涤，冲刷。

## 〇二九　颠倒情思之景致

**山之光，水之声，月之色，花之香，文人之韵致，美人之姿态，皆无可名状[1]，无可执着，真足以摄召魂梦，颠倒情思。**

吴街南曰：以极有韵致之文人，与极有姿态之美人，共坐于山水花月间，不知此时魂梦何如，情思何如？

**【注释】**

①无可名状:无法形容和描述。

## 〇三〇　假使梦能自主

**假使梦能自主,虽千里无难命驾①,可不羡长房之缩地②;死者可以晤对,可不需少君之招魂;五岳可以卧游,可不俟③婚嫁之尽毕。**

黄九烟曰:予尝谓鬼有时胜于人,正以其能自主耳。

江含征曰:吾恐"上穷碧落下黄泉,两地茫茫皆不见"也。

张竹坡曰:梦魂能自主,则可一生死,通人鬼,真见道之言也。

**【注释】**

①命驾:命人驾车,也指驾车前往。《晋书·嵇康传》:"东平吕安服康高致,每一相思,辄千里命驾。"

②长房之缩地:费长房,东汉人,相传曾随异人学道,有缩地之术。

③俟:等待。《孟子·万章下》:"孔子君命召,不俟驾而行。"

## 〇三一　不幸而非缺陷

**昭君以和亲而显，刘蕡以下第[1]而传，可谓之不幸，不可谓之缺陷。**

江含征曰：若故折黄雀腿而后医之，亦不可。

尤悔庵曰：不然，一老宫人，一低进士耳。

【注释】

①下第：又称落第，指科举考试不中。

## 〇三二　爱花与爱美人

**以爱花之心爱美人，则领略自饶别趣；以爱美人之心爱花，则护惜倍有深情。**

冒辟疆曰：能如此，方是真领略，真护惜也。

张竹坡曰：花与美人何幸遇此东君[1]。

【注释】

①东君：传说中的司春之神。成彦雄《柳枝词》："东君爱惜与先春，草

泽无人处也新。”

## ○三三　美人之胜于花者

**美人之胜于花者，解语[①]也；花之胜于美人者，生香也。二者不可得兼，舍生香而取解语者也。**

王勿翦曰：飞燕[②]吹气若兰，合德[③]体自生香，薛瑶英[④]肌肉皆香，则美人又何尝不生香也。

**【注释】**

①解语：解人意。

②飞燕：汉成帝之后赵飞燕。

③合德：赵飞燕之妹。

④薛瑶英：唐元载宠姬。

## ○三四　窗内窗外

**窗内人于窗纸上作字，吾于窗外观之，极佳。**

江含征曰：若索债人于窗外纸上画，吾且望之却走[1]矣。

【注释】

①却：退。走：逃，跑。

## 〇三五　读书与阅历

**少年读书，如隙中窥月；中年读书，如庭中望月；老年读书，如台上玩月。皆以阅历之浅深，为所得之浅深耳。**

黄交三曰：真能知读书痛痒者也。

张竹坡曰：吾叔此论，直[1]置身广寒宫里，下视大千世界，皆清光似水矣。

毕右万曰：吾以为学道亦有浅深之别。

【注释】

①直：犹言“简直就是”。

## 〇三六　致雨师书

**吾欲致书雨师[1]：春雨宜始于上元节后**观灯

已毕，**至清明十日前之内**雨止桃开，**及谷雨节中**。**夏雨宜于每月上弦之前，及下弦之后**免碍于月。**秋雨宜于孟秋、季秋之上下二旬**八月为玩月胜境。**至若三冬，正可不必雨也**。

孔东塘曰：君若果有此牍，吾愿作致书邮也。

余生生曰：使天而雨粟[2]，虽自元旦雨至除夕，亦未为不可。

张竹坡曰：此书独不可致于巫山雨师[3]。

**【注释】**

①雨师：司雨之神。

②天而雨粟：天上降粮食。

③传说楚怀王与巫山神女相会，有“旦为朝云，暮为行雨”之说。

## 〇三七　贫富忧乐

**为浊富[1]不若为清贫，以忧生不若以乐死。**

李圣许曰：顺理而生，虽忧不忧；逆理而死，虽乐不乐。

吴野人曰：我宁愿为浊富。

张竹坡曰：我愿太奢，欲为清富，焉能

遂愿？

【注释】

①浊：浑浊不清。浊富：指来路不正的富贵。

## 〇三八　生前死后

**天下唯鬼最富，生前囊无一文，死后每饶楮镪[①]；天下唯鬼最尊，生前或受欺凌，死后必多跪拜。**

吴野人曰：世于贫士，辄目为穷鬼，则又何也？

陈康畴曰：穷鬼若死，即并称尊矣。

【注释】

①饶：丰富，富足，多。楮镪：纸钱。

## 〇三九　才子美人

**蝶为才子之化身，花乃美人之别号。**

张竹坡曰：蝶入花房香满衣，是反以金屋

贮才子[1]矣。

【注释】

①金屋贮才子：这里是反用“金屋藏娇”之典。

## 〇四〇　睹物思人

**因雪想高士，因花想美人，因酒想侠客，因月想好友，因山水想得意诗文。**

弟木山曰：余每见人一长一技，即思效之，虽至琐屑，亦不厌也。大约是爱博而情不专。

张竹坡曰：多情语，令人泣下。

尤谨庸曰：因得意诗文想心斋矣。

李季子曰：此善于设想者。

陆云士曰：临川谓“想内成，因中见”[1]，与此相发。

【注释】

①临川：即明代戏剧家汤显祖。“想内成，因中见”是其作品《牡丹亭·惊梦》中的唱词。

## ○四一　闻声如临其境

**闻鹅声如在白门①，闻橹声如在三吴②，闻滩声如在浙江，闻骡马项下铃铎声如在长安道上。**

聂晋人曰：南无观世音菩萨摩诃萨！

倪永清曰：众音寂灭时，又作么生话会。

【注释】

①白门：南朝宋都建康（南京）的西门，后也称南京为白门。

②三吴：古地区名，在今天的江苏一带。

## ○四二　诸节次第

**一岁诸节，以上元为第一，中秋次之，五日九日①又次之。**

张竹坡曰：一岁当以我畅意日为佳节。

顾天石曰：跻上元于中秋之上，未免尚耽绮习。

【注释】

①五日：即农历的五月初五，为端午节。九日：即农历的九月初九，为

重阳节。

## ○四三　雨之为物

**雨之为物，能令昼短，能令夜长。**

张竹坡曰：雨之为物，能令天闭眼，能令地生毛，能为水国广封疆[①]。

**【注释】**

①封疆：分封疆土。这里似指因雨水充足、物产丰富而自给自足。

## ○四四　古之不传于今者

**古之不传于今者，啸[①]也、剑术也、弹棋也、打球也。**

黄九烟曰：古之绝胜于今者，官妓、女道士也。

张竹坡曰：今之绝胜于古者，能吏也、猾棍也、无耻也。

庞天池曰：今之必不能传于后者，八股也。

【注释】

①啸:用口发出的长而清越的声音。《后汉书·刘根传》:“根于是左顾而啸。”

## 〇四五　道士能诗者稀

**诗僧时复有之,若道士之能诗者,不啻空谷足音[①],何也?**

毕右万曰:僧道能诗,亦非难事,但惜僧道不知禅元耳。

顾天石曰:道于三教中原属第三,应是根器最钝人做,那得会诗?轩辕弥明,昌黎寓言耳[②]。

尤谨庸曰:僧家势利第一,能诗次之。

倪永清曰:我所恨者,辟谷之法[③]不传。

【注释】

①空谷足音:空谷中传出的脚步声。常常用来比喻难得的人、事、音讯和言论。

②轩辕弥明:衡山道士,善诗文,后人谓其诗为韩昌黎所作。

③辟谷:古代的一种养生之术,不吃五谷,专靠服气长生。《史记·留侯世家》:“乃学辟谷,道引轻身。”

## 〇四六　当为花中之萱草

**当为花中之萱草[①]，毋为鸟中之杜鹃[②]。**

【注释】

①萱草：传说可以使人忘忧的草。嵇康《养生论》："萱草忘忧，愚智所共知也。"

②杜鹃：传说中杜鹃啼血，有悲的意味。

## 〇四七　稚驴可厌

**物之稚者，皆不可厌，惟驴独否[①]。**

黄略似曰：物之老者皆可厌，惟松与梅则否。

倪永清曰：惟癖于驴者[②]，则不厌之。

【注释】

①独否：偏偏不是这样。

②癖于驴者：对驴有特殊爱好的人。

# 〇四八　耳闻不如目见

**女子自十四五岁至二十四五岁，此十年中，无论燕、秦、吴、越，其音大都娇媚动人，一睹其貌，则美恶判然[①]矣。耳闻不如目见，于此益信。**

吴听翁曰：我向以耳根之有余，补目力之不足。今读此，乃知卿言亦复佳也。

江含征曰：帘为妓衣，亦殊有见。

张竹坡曰：家有少年丑婢者，当令隔屏私语，灭烛侍寝，何如？

倪永清曰：若逢美貌而恶声者，又当何如？

**【注释】**

①判然：一目了然。

## 〇四九　寻乐境乃学仙

**寻乐境乃学仙，避苦趣乃学佛。佛家所谓极乐世界[①]者，盖谓众苦之所不到也。**

江含征曰：着败絮行荆棘中，固是苦事；彼披忍辱铠者，亦未得优游自到也。

陆云士曰：空诸所有，受即是空，其为苦乐不足言矣，故学佛优于学仙。

**【注释】**

①极乐世界：佛教认为最清净快乐的地方，又称作“净土”。《观无量寿佛经》：“我今乐生极乐世界，阿弥陀佛所。”

## 〇五〇　贫贱富贵

**富贵而劳悴[①]，不若安闲之贫贱；贫贱而骄傲，不若谦恭之富贵。**

曹实庵曰：富贵而又安闲，自能谦恭也。

许师六曰：富贵而又谦恭，乃能安闲耳。

张竹坡曰：谦恭安闲，乃能长富贵也。

张迂庵曰：安闲乃能骄傲，劳悴则必谦恭。

【注释】

①劳悴：劳累不堪。悴：憔悴，衰弱。

## ○五一　目不能自见

**目不能自见，鼻不能自嗅，舌不能自舐，手不能自握，惟耳能自闻其声。**

弟木山曰：岂不闻“心不在焉，听而不闻”乎？兄其诳我哉！

张竹坡曰：心能自信。

释师昂曰：古德[①]云：“眉与目不相识，只为太近。”

【注释】

①古德：指古代有德行的高僧。《五灯会元·道钦禅师》：“便举古德少许方便。”

## ○五二　听琴远近皆宜

**凡声皆宜远听，惟听琴则远近皆宜。**

王名友曰：松涛声、瀑布声、箫笛声、潮声、读书声、钟声、梵声[1]，皆宜远听。惟琴声、度曲[2]声、雪声，非至近不能得其离合抑扬之妙。

庞天池曰：凡色皆宜近看，惟山色远近皆宜。

【注释】

①梵声：念佛诵经的声音。王维《登辨觉寺》："软草承趺坐，长松响梵声。"

②度曲：按曲谱歌唱。张衡《西京赋》："度曲未终，云起雪飞，初若飘飘，后遂霏霏。"

## 〇五三　苦闷之因

**目不能识字，其闷尤过于盲；手不能执管[1]，其苦更甚于哑。**

陈鹤山曰：君独未知今之不识字、不握管者，其乐尤过于不盲不哑者也。

【注释】

①执管：执笔。

## 〇五四　并头联句

**并头联句，交颈论文[①]，宫中应制，历使[②]属国，皆极人间乐事。**

狄立人曰：既已并头交颈，即欲联句论文，恐亦有所不暇。

汪舟次曰：历使属国，殊不易易。

孙松坪曰：邯郸旧梦[③]，对此惘然。

张竹坡曰：并头交颈，乐事也；联句论文，亦乐事也。是以两乐并为一乐者，则当以两夜并一夜方妙。然其乐一刻，胜于一日矣。

沈契掌曰：恐天亦见妒。

**【注释】**

①并头联句，交颈论文：指和女子亲昵地一起作诗评文。

②历使：奉命出使。

③邯郸旧梦：即黄粱梦。

## 〇五五　姓有优劣

**《水浒传》武松诘蒋门神云："为何不姓李？"**

**此语殊妙。盖姓实有佳有劣，如华、如柳、如云、如苏、如乔，皆极风韵。若夫毛也、赖也、焦也、牛也，则皆尘于目而棘于耳者也。**

先渭求曰：然则君为何不姓李耶？

张竹坡曰：止闻今张昔李，不闻今李昔张也[①]。

**【注释】**

①此句为恭维作者张潮的话。

## 〇五六　赏花指南

**花之宜于目而复宜于鼻者，梅也、菊也、兰也、水仙也、珠兰也、莲也。止宜于鼻者：橼[①]也、桂也、瑞香[②]也、栀子也、茉莉也、木香也、玫瑰也、腊梅也。余则皆宜于目者也。花与叶俱可观者，秋海棠为最，荷次之，海棠、酴醾、虞美人、水仙又次之。叶胜于花者，止雁来红、美人蕉而已。花与叶俱不足观者，紫薇也、辛夷[③]也。**

周星远曰：山老可当花阵一面。

张竹坡曰：以一叶而能胜诸花者，此君也。

【注释】

①橼：即枸橼，又名香橼，果实可以入药。

②瑞香：一种常绿灌木，春季开花，多不结实，有多种品种，可供观赏。

③辛夷：即木兰花的花蕾，干燥后称为辛夷，可入药，性温，味辛。

## 〇五七　诸书载古之市朝

**高语山林者，辄不善谈市朝[①]事，审若此，则当并废史、汉诸书而不读矣。盖诸书所载者，皆古之市朝也。**

张竹坡曰：高语者，必是虚声处士；真入山者，方能经纶[②]市朝。

【注释】

①市朝：指追名夺利的世俗社会。陆游《岳池农家》诗："农家农家乐复乐，不比市朝争夺恶。"

②经纶：理出丝绪为经，编丝成绳为纶，一般用来比喻筹划大事和治理国家。

## 〇五八　云不能画

**云之为物，或崔巍如山，或潋滟如水，或如**

**人，或如兽，或如鸟毳[1]，或如鱼鳞。**

**故天下万物皆可画，惟云不能画。世所画云，亦强名[2]耳。**

何蔚宗曰：天下百官皆可做，惟教官不可做，做教官者，皆谪戍[3]耳。

张竹坡曰：云有反面正面，有阴阳向背，有层次内外，细观其与日相映，则知其明处乃一面，暗处又一面。尝谓古今无一画云手，不谓《幽梦影》中先得我心。

【注释】

①鸟毳：鸟身上的细毛。杜甫《陪李金吾花下饮》诗："见轻吹鸟毳，随意数花须。"

②强名：勉强用了这样的名称。

③谪戍：因罪而被罚守边。贾谊《过秦论》："谪戍之众，非抗于九国之师也。"

## 〇五九　全福人生

**值太平世，生湖山郡；官长廉静，家道优裕；娶妇贤淑，生子聪慧。人生如此，可云全福。**

许筱林曰：若以粗笨愚蠢之人当之，则负

却造物。

江含征曰：此是黑面老子要思量做鬼处。

吴岱观曰：过屠门而大嚼，虽不得肉，亦且快意[1]。

李荔园曰：贤淑聪慧，尤贵永年[2]，否则福不全。

**【注释】**

①语出曹植《与吴季重书》："过屠门而大嚼，虽不得肉，贵且快意。"屠门：指肉铺。

②尤：尤其。永年：长寿。

## 〇六〇　价贱民贫

**天下器玩[1]之类，其制日工，其价日贱，毋惑乎民之贫也。**

张竹坡曰：由于民贫，故益工而益贱，若不贫，如何肯贱？

**【注释】**

①器玩：供玩赏的器物。

## 〇六一　择养花之胆瓶

**养花胆瓶，其式之高低大小，须与花相称；而色之浅深浓淡，又须与花相反。**

程穆倩曰：足补袁中郎[①]《瓶史》所未逮。

张竹坡曰：夫如此，有不甘去南枝而生香于几案之右者乎？名花心足矣。

王宓草曰：须知相反者，正欲其相称也。

【注释】

①袁中郎：即明代文学家袁宏道，字中郎，湖北公安人，与兄宗道、弟中道并称公安三袁。《瓶史》是袁宏道关于养花的一部著作。

## 〇六二　春雨如恩诏

**春雨如恩诏[①]，夏雨如赦书[②]，秋雨如挽歌。**

张谐石曰：我辈居恒苦饥，但愿夏雨如馒头耳。

张竹坡曰：赦书太多，亦不甚妙。

【注释】

①恩诏：帝王降恩的诏书。岑参《送李宾客荆南迎亲》诗："迎亲辞望苑，恩诏下储闱。"

②赦书：减免对罪犯的刑罚的文书。

## 〇六三　何谓"全人"

**十岁为神童，二十、三十为才子，四十、五十为名臣，六十为神仙，可谓全人矣。**

江含征曰：此却不可知，盖神童原有仙骨故也。只恐中间做名臣时，堕落名利场中耳。

杨圣藻曰：人孰不想，难得有此全福。

张竹坡曰：神童、才子，由于己，可能也；臣由于君，仙由于天，不可必也[1]。

顾天石曰：六十神仙，似乎太早。

【注释】

①不可必也：意谓由不得自己，不可强求。

## 〇六四　武人不苟战

**武人不苟战**[①]**，是为武中之文；文人不迂腐，是为文中之武。**

梅定九曰：近日文人不迂腐者，颇多，心斋亦其一也。

顾天石曰：然则心斋直谓之武夫可乎？笑笑。

王司直曰：是真文人，必不迂腐。

**【注释】**

①武人不苟战：苟，草率。不苟战，即不轻易言战。

## 〇六五　文人讲武事

**文人讲武事，大都纸上谈兵；武将论文章，半属道听途说。**

吴街南曰：今之武将讲武事，亦属纸上谈兵；今之文人论文章，大都道听途说。

## 〇六六　斗方止三种可存

**斗方[1]止三种可存，佳诗文一也，新题目二也，精款式三也。**

闵宾连曰：近年斗方名士甚多，不知能入吾心斋彀中[2]否也。

【注释】

①斗方：指书画所用的一二尺见方的单幅笺，也指一二尺见方的册页书画。

②彀中：掌握之中。王定保《唐摭言》卷一："[唐太宗]尝私幸端门，见新进士缀行而出，喜曰：'天下英雄入吾彀中矣！'"

## 〇六七　情痴才趣

**情必近于痴而始真，才必兼乎趣而始化[1]。**

陆云士曰：真情种、真才子，能为此言。

顾天石曰：才兼乎趣，非心斋不足当之。

尤慧珠曰：余情而痴则有之，才而趣，则未能也。

【注释】

①化:升华。

## 〇六八　"全才"惟莲

**凡花色之娇媚者,多不甚香;瓣之千层者,多不结实。甚矣[①],全才之难也。兼之者,其惟莲乎?**

殷日戒曰:花叶根实,无所不空,亦无不适于用,莲则全有其德者也。

贯玉曰:莲花易谢,所谓有全才,而无全福也。

王丹麓曰:我欲荔枝有好花,牡丹有佳实,方妙。

尤谨庸曰:全才必为人所忌,莲花故名君子[②]。

【注释】

①甚矣:犹言"比这更严重的是"。

②莲花故名君子:见宋周敦颐的《爱莲说》:"莲,花之君子者也。"

## 〇六九　著书与注书

**著得一部新书，便是千秋大业；注得一部古书，允[1]为万世宏功。**

黄交三曰：世间难事，注书第一，大要于极寻常处，要看出作者苦心。

张竹坡曰：注书无难，天使人得安居无累，有可以注书之时与地为难耳。

**【注释】**

①允：诚然，果真。

## 〇七〇　三者都无是处

**延名师训子弟，入名山习举业[1]，丐名士代捉刀[2]，三者都无是处。**

陈康畴曰：大抵名而已矣，好歹原未必着意。

殷日戒曰：况今之所谓名乎？

**【注释】**

①举业:指科举考试。孙光宪《北梦琐言》有“举业未精”之词。

②丐:乞求。捉刀:《世说新语》记载曹操曾化装成卫士握刀立于床头见匈奴使者,后用来比喻代人作文或替人做事为捉刀。

## 〇七一　体裁自无而有

**积画以成字,积字以成句,积句以成篇,谓之文。文体日增,至八股而遂止。如古文、如诗、如赋、如词、如曲、如说部[①]、如传奇小说,皆自无而有。**

**方其未有之时,固不料后来之有此一体也;逮既有此一体之后,又若天造地设,为世必应有之物。**

**然自明以来,未见有创一体裁新人耳目[②]者。遥计百年之后,必有其人,惜乎不及见耳。**

陈康畴曰:天下事从意起,山来今日既作此想,安知其来生不即为此辈翻新之士乎?惜乎今人不及知耳。

陈鹤山曰:此是先生应以创体身得度者,即现创体身而为设法。

孙恺似曰:读心斋别集,拈四子书题,以五、七言韵体行之,无不入妙,叹其独绝。此则直可当先生自序也。

张竹坡曰：见及于此，是必能创之者，吾拭目以待新裁[3]。

【注释】

①说部：指古代笔记一类的文体。

②新人耳目：使人耳目一新。

③新裁：指新的文体和风格。

## 〇七二　友道之所以可贵

**云映日而成霞，泉挂岩而成瀑，所托者异[1]，而名亦因之，此友道[2]之所以可贵也。**

张竹坡曰：非日而云不映，非岩而泉不挂，此友道之所以当择也。

【注释】

①所托者异：所依托的东西不同。

②友道：交友之道。

## 〇七三　学大家与学名家

**大家之文，吾爱之慕之，吾愿学之；名家之**

**文，吾爱之慕之，吾不敢学之。**

**学大家而不得，所谓“刻鹄不成尚类鹜”也；学名家而不得，则是“画虎不成反类狗”[1]矣。**

黄旧樵曰：我则异于是，最恶世之貌为大家者。

殷日戒曰：彼不曾闯其藩篱，乌能窥其阃奥[2]？只说得隔壁话耳。

张竹坡曰：今人读得一两句名家，便自称大家矣。

【注释】

①刻鹄不成尚类鹜，画虎不成反类狗：此两句皆出自《后汉书·马援传》。

②乌能：哪里能。阃奥：住宅深处。此处指高深的境界。

## 〇七四　清虚有何渣滓

**由戒得定，由定得慧，勉强渐近自然；炼精化气，炼气化神，清虚有何渣滓。**

袁中江曰：此二氏之学[1]也，吾儒何独不然？

陆云士曰：《楞严经》、《参同契》精义尽涵在内。

尤悔庵曰：极平常语，然道在是矣。

【注释】

①二氏之学：指释、道学说。

## 〇七五　南北东西

**南北东西，一定之位也；前后左右，无定之位也。**

张竹坡曰：闻天地昼夜旋转，则此东西南北，亦无定之位也。或者天地外贮此天地者，当有一定耳。

## 〇七六　道观与佛寺

**予尝谓二氏不可废，非袭夫大养济院[①]之陈言也。盖名山胜境，我辈每思褰裳就之。使非琳宫梵刹，则倦时无可驻足，饥时谁与授餐？忽有疾风暴雨，五大夫果真足恃乎？又或丘壑深邃，非一日可了，岂能露宿以待明日乎？虎豹蛇虺，能保其不为人患乎？又或为士大夫所有，果**

**能不问主人，任我之登陟凭吊而莫之禁乎？不特此也，甲之所有，乙思起而夺之，是启争端也。祖父之所创建，子孙贫，力不能修葺，其倾颓之状，反足令山川减色矣。**

**然此特就名山胜境言之耳。即城市之内，与夫四达之衢，亦不可少此一种。客游可作居停，一也；长途可以稍憩，二也；夏之茗，冬之姜汤，复可以济役夫负戴之困，三也。凡此皆就事理言之，非二氏福报之说也。**

释中洲曰：此论一出，量无悭檀越[②]矣。

张竹坡曰：如此处置此辈甚妥。但不得令其于人家丧事诵经，吉事拜忏；装金为像，铸铜作身；房如宫殿，器御钟鼓，动说因果。虽饮酒食肉，娶妻生子，总无不可。

石天外曰：天地生气，大抵五十年一聚。生气一聚，必有刀兵、饥馑、瘟疫，以收其生气。此古今一治一乱必然之数也。自佛入中国，用剃度出家法绝其后嗣，天地盖欲以佛节古今之生气也。所以唐、宋、元、明以来，剃度者多，而刀兵劫数稍减于春秋、战国、秦汉诸时也。然则佛氏且未必无功于天地，宁特人类已哉？

**【注释】**

①养济院：旧时收养鳏寡孤独者的场所，“大养济院”借指佛教。

②悭：吝啬。檀越：梵语音译，即施主。

## ○七七　楸枰不可不备

**虽不善书，而笔砚不可不精；虽不业医，而验方不可不存；虽不工弈，而楸枰[①]不可不备。**

江含征曰：虽不善饮，而良酿不可不藏，此坡仙之所以为坡仙[②]也。

顾天石曰：虽不好色，而美女妖童不可不蓄。

毕右万曰：虽不习武，而弓矢不可不张。

**【注释】**

①工：精通。楸枰：棋盘。

②坡仙：苏东坡。此句典出《后赤壁赋》。

## ○七八　红裙须得趣

**方外[①]不必戒酒，但须戒俗；红裙[②]不必通文，但须得趣。**

朱其恭曰：以不戒酒之方外，遇不通文之

红裙，必有可观。

陈定九曰：我不善饮，而方外不饮酒者，誓不与之语；红裙若不识趣，亦不乐与近。

释浮村曰：得居士此论，我辈可放心豪饮矣。

弟东囿曰：方外并戒了化缘方妙。

**【注释】**

①方外：原指世俗之外，此处指僧道。

②红裙：原指妇女穿的红裙子，后用来指美女。万楚《五日观妓》诗："眉黛夺将萱草色，红裙妒杀石榴花。"

## ○七九　梅边之石宜古

**梅边之石宜古，松下之石宜拙，竹傍之石宜瘦，盆内之石宜巧。**

周星远曰：论石至此，直可作九品中正①。

释中洲曰：位置相当，足见胸次。

**【注释】**

①中正：古代官名，魏晋南北朝时负责考察州郡人才的官员。

## 〇八〇　律己宜带秋气

**律己宜带秋气，处世宜带春气**[①]。

孙松楸[②]曰：君子所以有矜群而无争党也[③]。

胡静夫曰：合夷惠为一人，吾愿亲炙[④]之。

尤悔庵曰：皮里春秋[⑤]。

**【注释】**

①汉董仲舒《春秋繁露》中有“春气爱，秋气严”之语。

②孙松楸：疑为“孙松坪”，即孙致弥。

③见《论语·卫灵公》：“君子矜而不争，群而不党。”

④夷惠：指“不食周粟”的伯夷和“坐怀不乱”的柳下惠。亲炙：亲承教诲。

⑤皮里春秋：指在内心品评和褒贬人和事。李渔《复胡彦远》：“但须有以教我，且直示之，勿仅作皮里春秋，令弟于褒中索贬可也。”

## 〇八一　未雨绸缪

**厌催租之败意，亟宜早早完粮；喜老衲**[①]**之谈禅，难免常常布施。**

释中洲曰：居士辈之实情，吾僧家之私冀[2]，直被一笔写出矣。

瞎尊者曰：我不会谈禅，亦不敢妄求布施，惟闲写青山卖耳。

**【注释】**

①老衲：僧人的代称或自称。戴叔伦《题横山寺》诗："老衲供茶碗，斜阳送客舟。"

②私冀：内心的希望。

## 〇八二　松下听琴

**松下听琴，月下听箫，涧边听瀑布，山中听梵呗[1]，觉耳中别有不同。**

张竹坡曰：其不同处，有难于向不知者道。

倪永清曰：识得"不同"二字，方许享此清听。

**【注释】**

①梵呗：佛教作法事的赞叹歌咏之声。《楞严经·六》："梵呗咏歌，自然敷奏。"

## 〇八三　月下听禅

**月下听禅，旨趣益远；月下说剑，肝胆益真；月下论诗，风致益幽；月下对美人，情意益笃。**

袁士旦曰：溽暑中赴华筵[①]，冰雪中应考试，阴雨中对道学先生，与此况味何如？

**【注释】**

①溽暑：闷湿的暑天。华筵：丰盛的筵席。

## 〇八四　山水之妙

**有地上之山水，有画上之山水，有梦中之山水，有胸中之山水。**

**地上者妙在丘壑深邃，画上者妙在笔墨淋漓，梦中者妙在景象变幻，胸中者妙在位置自如**[①]。

周星远曰：心斋《幽梦影》中文字，其妙亦在景象变幻。

殷日戒曰：若诗文中之山水，其幽深变幻，

更不可名状。

江含征曰：但不可有面上之山水。

余香祖曰：余境况不佳，水穷山尽矣。

**【注释】**

①位置自如：指可以任情地发挥其想象。

## 〇八五　百年之计种松

**一日之计种蕉，一岁之计种竹，十年之计种柳，百年之计种松。**

周星远曰：千秋之计，其著书乎？

张竹坡曰：百世之计种德。

## 〇八六　春雨宜读书

**春雨宜读书，夏雨宜弈棋，秋雨宜检藏，冬雨宜饮酒。**

周星远曰：四时惟秋雨最难听，然予谓无分今雨旧雨[①]，听之要皆宜于饮也。

【注释】

①今雨：新交的朋友。旧雨：老朋友。杜甫《秋述》："秋，杜子卧病长安旅次，多雨生鱼，青苔及榻，常时车马之客，旧，雨来；今，雨不来。"

## 〇八七　诗文词曲之宜

**诗文之体得秋气为佳，词曲之体得春气为佳。**

江含征曰：调有惨淡悲伤者，亦须相称。

殷日戒曰：陶诗、欧文[①]亦似以春气胜。

【注释】

①陶诗：指晋代诗人陶渊明的诗。欧文：指宋代文学家欧阳修的散文。

## 〇八八　求其所当求

**抄写之笔墨，不必过求其佳；若施之缣素[①]，则不可不求其佳。**

**诵读之书籍，不必过求其备[②]；若以供稽考，则不可不求其备。**

**游历之山水，不必过求其妙；若因之卜居[3]，则不可不求其妙。**

冒辟疆曰：外遇之女色，不必过求其美；若以作姬妾，则不可不求其美。

倪永清曰：观其区处条理所在，经济可知。

王司直曰：求其所当求，而不求其所不必求。

**【注释】**

①缣素：作书画所用的白绢。《宋史·礼志》："坛上植竹枝，张画龙，其图以缣素。"

②备：齐全，完备。

③卜居：以占卜来选择建屋之地。

## ○八九　人非圣贤

**人非圣贤，安能无所不知。**

**只知其一，惟恐不止其一，复求知其二者，上也。**

**止知其一，因人言始知有其二者，次也。**

**止知其一，人言有其二而莫之信者，又其次也。**

**止知其一，恶人言[1]有其二者，斯下之下矣。**

周星远曰：兼听则聪，心斋所以深于知也。

倪永清曰：圣贤大学问，不意于清语得之。

【注释】

①恶人言：讨厌别人说。

## 〇九〇　横直两世界

**史官所纪者，直世界也；职方①所载者，横世界也。**

袁中江曰：众宰官②所治者，斜世界也。

尤悔庵曰：普天下所行者，混沌世界也。

顾天石曰：吾尝思天上之天堂，何处筑基？地下之地狱，何处出气？世界固有不可思议者。

【注释】

①职方：古代掌管舆图、军制、城隍、征讨之事的官。

②宰官：地方的官吏。

## 〇九一　横竖看八卦

**先天八卦，竖看者也；后天八卦，横看者也。**

吴街南曰：横看竖看，皆看不着。

钱目天曰：何如[1]袖手旁观。

**【注释】**

①何如：还不如。

## 〇九二　读书难易辨

**藏书不难，能看为难；看书不难，能读为难；读书不难，能用为难；能用不难，能记为难。**

洪去芜曰：心斋以能记次于能用之后，想亦苦记性不如耳。世固有能记而不能用者。

王端人曰：能记能用，方是真藏书人。

张竹坡曰：能记固难，能行尤难。

## 〇九三　知己难求

**求知己于朋友易，求知己于妻妾难，求知己于君臣则尤难之难。**

王名友曰：求知己于妾易，求知己于妻难，求知己于有妾之妻尤难。

张竹坡曰：求知己于兄弟亦难。

江含征曰：求知己于鬼神，则反易耳。

## 〇九四　何谓善人

**何谓善人？无损于世者则谓之善人。何谓恶人？有害于世者则谓之恶人。**

江含征曰：尚有有害于世，而反邀善人之誉，此实为好利而显为名高者，则又恶人之尤[1]。

**【注释】**

①尤：特别。

## 〇九五 福解

**有工夫读书,谓之福;有力量济人,谓之福;有学问著述,谓之福;无是非到耳,谓之福;有多闻直谅之友[1],谓之福。**

殷日戒曰:我本薄福人,宜行求福事,在随时儆醒而已。

杨圣藻曰:在我者可必,在人者不能必。

王丹麓曰:备此福者,惟我心斋。

李水樵曰:五福骈臻[2]固佳,苟[3]得其半者,亦不得谓之无福。

倪永清曰:直谅之友,富贵人久拒之矣,何心斋反求之也?

**【注释】**

①多闻直谅之友:指正直、诚实和有学问的朋友。语出《论语·季氏》:"益者三友,损者三友。友直,友谅,友多闻,益矣。友便辟,友善柔,友便佞,损矣。"

②骈:并列,并合。臻:至,到。

③苟:如果。

## 〇九六　人莫乐于闲

**人莫乐于闲，非无所事事之谓也。闲则能读书，闲则能游名胜，闲则能交益友，闲则能饮酒，闲则能著书。天下之乐，孰大于是[①]？**

陈鹤山曰：然则正是极忙处。

黄交三曰：闲字前有止敬功夫，方能到此。

尤悔庵曰：昔人云“忙里偷闲”，闲而可偷，盗亦有道矣。

李若金曰：闲固难得，有此五者，方不负闲字。

**【注释】**

①孰大于是：哪一样能比得过这些呢？是：这。代词。

## 〇九七　文章与山水

**文章是案头之山水，山水是地上之文章。**

李圣许曰：文章必明秀，方可作案头之山水；山水必曲折，乃可名地上之文章。

# 〇九八　音韵论

平上去入[1]，乃一定之至理。然入声之为字也少，不得谓凡字皆有四声也。世之调平仄者，于入声之无其字者，往往以不相合之音隶于其下。为所隶者，苟无平上去之三声，则是以寡妇配鳏夫，犹之可也。若所隶之字自有其平上去之三声，而欲强以从我，则是干有夫之妇矣，其可乎？

姑就诗韵言之，如东、冬韵，无入声者也，今人尽调之以东、董、冻、督。夫"督"之为音，当附于都、睹、妒之下；若属之于东、董、冻，又何以处夫都、睹、妒乎？若东、都二字，俱以"督"字为入声，则是一妇而两夫矣。三江无入声者也，今人尽调之以江、讲、绛、觉。殊不知"觉"之为音，当附于交、绞、教之下者也。诸如此类，不胜其举。

然则如之何而后可？曰：鳏者听其鳏，寡者听其寡；夫妇全者安其全，各不相干而已矣。东、冬、欢、桓、寒、山、真、文、元、渊、先、天、庚、青、侵、盐、咸诸部，皆无入声者也。屋、沃内如秃、独、鹄、束等字，乃鱼、虞韵内都、图等字之入声；卜、木、六、仆等字，乃五歌部之入声；玉、菊、狱、育等字，乃尤部之入声；三觉、十药，当属于萧、肴、豪。质、锡、职、缉，当属于支、微、齐。质内之橘、卒，物内之郁、屈，当属于虞、鱼。物内之勿、物等音，无平上去者也。讫、乞等四支之入声也。陌部乃佳、灰之半、开、来等字之入声也。月部之月、厥、阙、谒等，及屑、叶二部，古无平上去，而今则为中州韵内车、遮诸字之入声也。伐、发等字，及曷部之括、适，及八黠全部，又十五合内诸字，又十七洽全部，皆六麻之入声也。曷内之撮、阔等字，合部之合、盒数字，皆无平上去者也。若以缉、合、叶、洽为闭口韵，则止当谓之无平上去之寡妇，而不当调之以侵、寝、缉、咸、喊、陷、洽也。

石天外曰：中州韵无入声，是有夫无妇，天下皆成旷夫[②]世界矣！

【注释】

①平上去入：古汉语字音的声调有平声、上声、去声、入声四种，总称“四声”。

②旷夫：没有妻子的成年男子。

## ○九九　《水浒传》是怒书

**《水浒传》是一部怒书，《西游记》是一部悟书，《金瓶梅》是一部哀书。**

江含征曰：不会看《金瓶梅》，而只学其淫，是爱东坡者，但[①]喜吃东坡肉耳。

殷日戒曰：《幽梦影》是一部快书。

朱其恭曰：余谓《幽梦影》是一部趣书。

【注释】

①但：只，仅仅。

## 一〇〇 读书最乐

**读书最乐，若读史书则喜少怒多。究之，怒处亦乐处也。**

张竹坡曰：读到喜怒俱忘，是大乐境。

陆云士曰：余尝有句云："读《三国志》，无人不为刘；读南宋书，无人不冤岳。"第[①]人不知怒处亦乐处耳。怒而能乐，惟善读史者知之。

【注释】

①第：但，只。

## 一〇一　奇书与密友

**发前人未发之论，方是奇书；言妻子难言之情，乃为密友。**

孙恺似曰：前二语是心斋著书本领。

毕右万曰：奇书我却有数种，如人不肯看何？

陆云士曰：《幽梦影》一书，所发者皆未发之论，所言者皆难言之情。“欲语羞雷同”，可以题赠。

## 一〇二　密友准则

**一介之士[1]，必有密友，密友不必定是刎颈之交[2]。**

**大率虽千百里之遥，皆可相信，而不为浮言所动；闻有谤之者，即多方为之辩析而后已。**

**事之宜行宜止者，代为筹划决断；或事当利害关头，有所需而后济者，即不必与闻，亦不虑其负我与否，竟为力承其事。**

**此皆所谓密友也。**

殷日戒曰：后段更见恳切周详，可以想见其为人矣。

石天外曰：如此密友，人生能得几人，仆[③]愿心斋先生当之。

**【注释】**

①一介之士：一个普通的读书人。

②刎颈之交：即生死之交。《史记·廉颇蔺相如列传》："卒相与欢，为刎颈之交。"

③仆：对自己的谦称。

## 一〇三　风流自赏

**风流自赏，只容花鸟趋陪；真率谁知，合受烟霞供养。**

江含征曰：东坡有云："当此之时，若有所思，而无所思。"

## 一〇四　名心美酒

**万事可忘，难忘者名心一段；千般易淡，未淡者美酒三杯。**

张竹坡曰：是闻鸡起舞[①]、酒后耳热气象。

王丹麓曰：予性不耐饮，美酒亦易淡，所最难忘者，名耳！

陆云士曰：惟恐不好名，丹麓此言，具见真处。

**【注释】**

①闻鸡起舞：成语，意为听到鸡叫就起床练剑，形容人的奋发。典出《晋书·祖逖传》。

## 一〇五　芰荷可食亦可衣

**芰荷[①]可食，而亦可衣；金石可器，而亦可服。**

张竹坡曰：然后知濂溪[②]不过为衣食计耳。

王司直曰：今之为衣食计者，果似濂溪否？

【注释】

①芰荷：菱叶。屈原《离骚》："制芰荷以为衣兮，集芙蓉以为裳。"

②濂溪：指北宋哲学家周敦颐。周因筑室庐山莲花峰下的小溪上，取家乡故居濂溪以名之，后人遂称为濂溪先生。

## 一〇六　耳目之宜

**宜于耳复宜于目者，弹琴也，吹箫也；宜于耳不宜于目者，吹笙也，擪[①]管也。**

李圣许曰：宜于目不宜于耳者，狮子吼之美妇人[②]也；不宜于目并不宜于耳者，面目可憎、语言无味之纨绔[③]子也。

庞天池曰：宜于耳复宜于目者，巧言令色也。

【注释】

①擪：用手指按。《淮南子·泰族训》："所以贵扁鹊者，非贵其随病而调药，贵其擪息脉血，知病之所从生也。"

②狮子吼之美妇人：取"河东狮吼"典，原义喻嫉妒而泼悍的妻子发怒撒泼。

③纨绔：原指细绢做的裤子，后用来借指没有出息的贵族子弟。

## 一〇七　妆前妆后

**看晓妆宜于傅粉[①]之后。**

余淡心曰：看晚妆，不知心斋以为宜于何时？

周冰持曰：不可说，不可说。

黄交三曰：水晶帘下看梳头，不知尔时[②]曾傅粉否？

庞天池曰：看残妆，宜于微醉后，然眼花缭乱矣。

**【注释】**

①傅粉：搽粉。《颜氏家训·勉学》："无不熏衣剃面，傅粉施朱，驾长

檐车，跟高齿屐。”

②尔时：这个时候。

## 一〇八　无缘得见相思者

**我不知我之前生，当春秋之季，曾一识西施否？当典午[①]之时，曾一看卫玠[②]否？当义熙[③]之世，曾一醉渊明否？当天宝[④]之代，曾一睹太真[⑤]否？当元丰[⑥]之朝，曾一晤东坡否？**

**千古之上，相思者不止此数人，而此数人则其尤甚者，故姑举之，以概其余也。**

杨圣藻曰：君前生曾与诸君周旋，亦未可知，但今生忘之耳。

纪伯紫曰：君之前生，或竟是渊明、东坡诸人，亦未可知。

王名友曰：不特此也，心斋自云：愿来生为绝代佳人。又安知西施、太真，不即为其前生耶？

郑破水曰：赞叹爱慕，千古一情，美人不必为妻妾，名士不必为朋友，又何必问之前生也耶？心斋真情痴也。

陆云士曰：余尝有诗曰：“自昔闻佛言，人有轮回事。前生为古人，不知何姓氏？或览青史中，若与他人遇。”竟与心斋同情，然大逊其奇快。

【注释】

①典午：代指晋代。典：掌管，和司马同义。午：在十二属中是马。典午暗指晋代的统治者司马氏。

②卫玠：晋安邑人，字叔宝，好谈玄理，官至太子洗马，为当时著名的美男子。

③义熙：晋安帝年号(405—418 年)。

④天宝：唐玄宗年号(742—755 年)。

⑤太真：即杨贵妃。太真原为道教传说中的女仙太真夫人，杨贵妃初见唐玄宗时，穿的是道士服，故亦号太真。

⑥元丰：宋神宗年号(1078—1085 年)。

## 一〇九　前世之交当问谁

**我又不知在隆万[①]时，曾于旧院中交几名妓？眉公、伯虎、若士、赤水诸君[②]，曾共我谈笑几回？茫茫宇宙，我今当向谁问之耶？**

江含征曰：死者有知，则良晤匪遥，如各化为异物，吾未如之何也已。

顾天石曰：具此襟怀，百年后当有恨不与心斋周旋者，则吾幸矣。

【注释】

①隆万：即明代隆庆、万历年间。

②眉公、伯虎、若士、赤水：即明代文人陈继儒、唐伯虎、汤显祖、屠隆。

## 一一〇 锦绣文章

**文章是有字句之锦绣[1]，锦绣是无字句之文章，两者同出于一原。**

**姑即粗迹论之，如金陵、如武林、如姑苏[2]，书林[3]之所在，即机杼[4]之所在也。**

【注释】

①锦绣：刺绣织品。

②金陵：南京。武林：杭州。姑苏：苏州。

③书林：书多如林，指群书。班固等《东观汉记》卷二："亲幸东观，览书林，阅篇籍。"

④机杼：原指织布机的转轴和梭子，后代指织布机。

## 一一一 诗家常用之字

**予尝集诸法帖字为诗，字之不复而多者，莫善于《千字文》[①]。然诗家目前常用之字，犹苦其未备。**

**如天文之烟霞风雪，地理之江山塘岸，时令之春宵晓暮，人物之翁僧渔樵，花木之花柳苔萍，鸟兽之蜂蝶莺燕，宫室之台槛轩窗，器用之舟船壶杖，人事之梦忆愁恨，衣服之裙袖锦绮，饮食之茶浆饮酌，身体之须眉韵态，声色之红绿香艳，文史之骚赋题吟，数目之一三双半，皆无其字。**

**《千字文》且然，况其他乎？**

黄仙裳曰：山来此种诗，竟似为我而设。

顾天石曰：使其皆备，则《千字文》不为奇矣！吾尝于千字之外，另集千字，而已不可复得，更奇。

**【注释】**

①《千字文》：古代用来教儿童识字的重要启蒙读物。

## 一一二　花不可见其落

**花不可见其落，月不可见其沉，美人不可见其夭[1]。**

朱其恭曰：君言谬矣，洵[2]如所云，则美人必见其发白齿豁而后快耶？

**【注释】**

①夭：短命。

②洵：确实，诚然。

## 一一三　种花须见其开

**种花须见其开，待月须见其满，著书须见其成，美人须见其畅适，方有实际[1]，否则皆为虚设。**

王璞庵曰：此条与上条互相发明，盖曰花不可见其落耳，必须见其开也。

**【注释】**

①实际：佛教用语，实相的意思。“实”是佛家法性境界，“际”指境界

之边缘。陆游《周元吉蟠室》诗："实际正如此，切忌错商量。"

## 一一四 恨不见古人

**惠施多方，其书五车[①]，虞卿[②]以穷愁著书，今皆不传。不知书中果作何语，我不见古人，安得不恨？**

王仔园曰：想亦与《幽梦影》相类耳。

顾天石曰：古人所读之书，所著之书，若不被秦人烧尽，则奇奇怪怪，可供今人刻画者，知复何限。然如《幽梦影》等书出，不必思古人矣。

倪永清曰：有著书之名，而不见书，省人多少指摘。

庞天池曰：我独恨古人不见心斋。

**【注释】**

①见《庄子·天下》："惠施多方，其书五车。"惠施：战国时宋人，名家代表人物之一。《汉书·艺文志》著录《惠子》一篇，今佚。方：指医卜星相等方术。

②虞卿：战国时的游说之士，作《虞氏春秋》，不传。

## 一一五　乔松仙境

**以松花为粮，以松实为香，以松枝为麈尾[1]，以松阴为步障[2]，以松涛为鼓吹[3]。山居得乔松百余章，真乃受用不尽。**

施愚山曰：君独不记曾有松多大蚁之恨耶？

江含征曰：松多大蚁，不妨便为蚁王。

石天外曰：坐乔松下，如在水晶宫中，见万顷波涛，总在头上，真仙境也。

**【注释】**

①麈尾：指拂尘之具。

②步障：用以遮蔽风尘或障蔽内外的屏幕。

③鼓吹：乐名，本指用于军中或朝廷宴会中的音乐，这里泛指音乐。

## 一一六　玩月之法

**玩月之法，皎洁则宜仰观，朦胧则宜俯视。**

孔东塘曰：深得玩月三昧[1]。

【注释】

①三昧：奥妙，诀窍。唐李肇《国史补》："长沙僧怀素好草书，自言得草圣三昧。"

## 一一七　孩童亦辨甘苦

**孩提之童，一无所知。目不能辨美恶，耳不能判清浊，鼻不能别香臭。至若味之甘苦，则不第[①]知之，且能取之弃之。告子以甘食、悦色为性[②]，殆指此类耳。**

【注释】

①不第：不但。

②告子：名不害，战国人。告子认为，人的天性是喜欢甘食和美色的。

## 一一八　读书不可不刻

**凡事不宜刻，若读书则不可不刻[①]；凡事不宜贪，若买书则不可不贪；凡事不宜痴，若行善则不可不痴。**

余淡心曰：读书不可不刻，请去一"读"字，移以赠我何如？

张竹坡曰：我为刻书累，请并去一“不”字。

杨圣藻曰：行善不痴，是邀名矣。

【注释】

①凡事不宜刻：“刻”作刻意讲；读书则不可不刻：“刻”为刻板印刷。

## 一一九　好之有度

**酒可好，不可骂座[1]；色可好，不可伤生；财可好，不可昧心；气可好，不可越理。**

袁中江曰：如灌夫使酒[2]，文园病肺[3]，昨夜南塘一出[4]，马上挟章台柳[5]归，亦自无妨，觉愈见英雄本色也。

【注释】

①骂座：因醉酒而出言不逊。

②灌夫使酒：《史记·灌夫传》：“灌夫为人刚直，使酒不好面谀。”后因使酒而全家遭诛。

③文园：即汉代文学家司马相如，字长卿，曾任孝文园令，故称文园，景帝时为武骑常侍，因病免官。

④昨夜南塘一出：典出《世说新语》，东晋祖逖部下夜出南塘抢劫，人问财物从何而来，祖逖答曰：“昨夜复南塘一出。”

⑤章台柳：《太平广记》记：唐韩翃有姬柳氏，安史之乱时失散，柳出家为尼，韩托人赠诗曰："章台柳，章台柳，昔日青青今在否？纵使长条似旧垂，亦应攀折他人手。"后两人终得团圆。

## 一二〇　清闲可以当寿考

**文名可以当科第，俭德可以当货财，清闲可以当寿考①。**

聂晋人曰：若名人而登甲第，富翁而不骄奢，寿翁而又清闲，便是蓬壶三岛②中人也。

范汝受曰：此亦是贫贱文人无所事事，自为慰藉云耳。恐亦无实在受用处也。

曾青藜曰："无事此静坐，一日似两日。若活七十年，便是百四十。"此是"清闲当寿考"注脚。

石天外曰：得老子退一步法③。

顾天石曰：予生平喜游，每逢佳山水，辄留连不去，亦自谓可当园亭之乐，质之心斋，以为然否？

**【注释】**

①寿考：长寿，高寿。《汉书·艺文志》："乐而有节。则和平寿考。"

②蓬壶三岛：传说中的海上仙岛，名为蓬莱、方丈和瀛洲。《史记·封

禅书》:“此三神山者,其传在渤海中。”

③老子:战国时期的思想家,其《道德经》中,有“将欲取之,必固与之”之语。

## 一二一　尚友古人

**不独诵其诗读其书,是尚友古人[1],即观其字画,亦是尚友古人处。**

张竹坡曰:能友字画中之古人,则九原[2]皆为之感泣矣。

**【注释】**

①尚友古人:尊崇古人,以古人为友。

②九原:山名,在今山西境内,晋卿大夫之墓地在此,后世因称墓地为九原。

## 一二二　无益之诗文

**无益之施舍,莫过于斋僧;无益之诗文,莫甚于祝寿。**

张竹坡曰:无益之心思,莫过于忧贫;无益

之学问，莫过于务名。

殷简堂曰：若诗文有笔资[①]，亦未尝不可。

庞天池曰：有益之施舍，莫过于多送我《幽梦影》几本。

**【注释】**

①笔资：润笔，酬劳。

## 一二三　钱多不如境顺

**妾美不如妻贤，钱多不如境顺。**

张竹坡曰：此所谓竿头欲进步者，然妻不贤安用[①]妾美，钱不多那得境顺。

张迂庵曰：此盖谓二者不可得兼，舍一而取一者也。又曰：世固有钱多而境不顺者。

**【注释】**

①安用：哪里用得着。

## 一二四　温旧业胜读生书

**创新庵不若修古庙，读生书不若温旧业。**

张竹坡曰：是真会读书者，是真读过万卷书者，是真一书曾读过数遍者。

顾天石曰：惟《左传》，《楚辞》，马、班、杜、韩之诗文[①]及《水浒》、《西厢》、《还魂》[②]等书，虽读百遍不厌，此外皆不耐温者矣，奈何？

王安节曰：今世建生祠[③]，又不若创茅庵[④]。

**【注释】**

①马、班、杜、韩：指《史记》的作者司马迁、《汉书》的作者班超，以及唐代诗人杜甫、散文家韩愈。

②《还魂》：即明代戏剧家汤显祖的《牡丹亭》，又称《还魂记》、《还魂梦》或《牡丹亭梦》。

③生祠：为活人立的祠庙。

④茅庵：茅草屋。

## 一二五　字画同出一原

**字与画同出一原，观六书[①]始于象形，则可知已。**

江含征曰：有不可画之字，不得不用六法也。

张竹坡曰：千古人未经道破，却一口拈出。

**【注释】**

①六书：汉代学者根据小篆归纳出的六种造字原则，即：象形、指事、会意、形声、转注、假借。

## 一二六　忙人园亭近住宅

**忙人园亭，宜与住宅相连；闲人园亭，不妨与住宅相远。**

张竹坡曰：真闲人，必以园亭为住宅。

## 一二七　酒可以当茶

**酒可以当茶，茶不可以当酒；诗可以当文，文不可以当诗；曲可以当词，词不可以当曲；月可以当灯，灯不可以当月；笔可以当口，口不可以当笔；婢可以当奴，奴不可以当婢**[①]**。**

江含征曰：婢当奴则太亲，吾恐忽闻河东狮子吼耳。

周星远曰：奴亦有可以当婢处，但未免稍逊耳。近时士大夫，往往耽此癖[②]。吾辈驰骛之流[③]，盗此虚名，亦欲效颦相尚，滔滔者天下皆是也[④]。心斋岂未识其故乎？

张竹坡曰：婢可以当奴者，有奴之所有者也；奴不可以当婢者，有婢之所同有，无婢之所独有者也。

弟木山曰：兄于饮食之顷，恐月不可以当灯。

余湘客曰：以奴当婢，小姐权时落后也。

宗子发曰：惟帝王家不妨以奴当婢，盖以有阉割法也。每见人家奴子出入主母卧房，亦殊可虑。

【注释】

①婢：女仆。奴：男仆。

②癖：爱好。这里指以幼奴供淫欲。

③驰骛之流：指奔忙竞走的人。

④滔滔者天下皆是也：语出《论语·微子》："滔滔者天下皆是也，而谁以易之？"形容众多。

## 一二八　世间不平以剑消

**胸中小不平，可以酒消之；世间大不平，非剑不能消也。**

周星远曰："看剑引杯长"，一切不平，皆破除矣。

张竹坡曰：此平世的剑术，非隐娘[①]辈所知。

张迂庵曰：苍苍者未必肯以太阿假②人，似不能代作空空儿③也。

尤悔庵曰：龙泉太阿，汝知我者④，岂止苏子美以一斗读《汉书》⑤耶？

**【注释】**

①隐娘：即聂隐娘，唐传奇中的女侠，剑术高超。

②太阿：传说中的宝剑名，也作“泰阿”。假：借。

③空空儿：唐传奇中的剑侠名，有隐身术。后来也称窃贼为空空儿。

④龙泉太阿，汝知我者：相传宋王彦深精通剑术，但未出仕时为人所轻，遂抚剑曰：“龙泉太阿，汝知我者。”

⑤苏子美：宋诗人苏舜钦。相传他边饮酒边读《汉书》，一晚饮酒逾斗。

## 一二九　动口不动笔

**不得已而谀之者，宁以口，毋以笔；不可耐而骂之者，亦宁以口，毋以笔。**

孙豹人曰：但恐未必能自主耳。

张竹坡曰：上句立品，下句立德。

张迂庵曰：匪惟立德①，亦以免祸。

顾天石曰：今人笔不谀人，更无用笔之处矣。心斋不知此苦，还是唐宋以上人②耳。

陆云士曰：古《笔铭》曰：“毫毛茂茂，陷水可脱，陷文不活。”正此谓也。亦有谀以笔而实讥之者，亦有骂以笔而若誉之者。总以不笔为高。

**【注释】**

①匪惟立德：不仅仅是立德。

②唐宋以上人：指古人。此句犹言不谙世事，不合时宜，含有对现实的不满和讥讽。

## 一三〇　多情者必好色

**多情者必好色，而好色者未必尽属多情；红颜者必薄命①，而薄命者未必尽属红颜；能诗者必好酒，而好酒者未必尽属能诗。**

张竹坡曰：情起于色者，则好色也，非情也。祸起于颜色者，则薄命在红颜否？则亦止曰命而已矣。

洪秋士曰：世亦有能诗而不好酒者。

**【注释】**

①红颜：指美貌的女子。薄命：命运不好。旧指美貌女子往往遭遇不好的命运。汤显祖《牡丹亭·诘病》：“偏则是红颜薄命，眼见的孤苦仃俜。”

## 一三一　花木与人心

**梅令人高，兰令人幽，菊令人野，莲令人淡，春海棠令人艳，牡丹令人豪，蕉与竹令人韵，秋海棠令人媚，松令人逸，桐令人清，柳令人感。**

张竹坡曰：美人令众卉皆香，名士令群芳俱舞。

尤谨庸曰：读之惊才绝艳，堪采入《群芳谱》中。

## 一三二　感人之物

**物之能感人者，在天莫如月，在乐莫如琴，在动物莫如鹃[1]，在植物莫如柳。**

【注释】

①鹃:指杜鹃鸟,相传是古蜀帝杜宇的化身,所以又称杜宇鸟。有“杜鹃啼血”的典故。

## 一三三　梅妻鹤子足堪羡

**妻子颇足累人①,羡和靖梅妻鹤子②;奴婢亦能供职,喜志和樵婢渔奴③。**

尤悔庵曰:梅妻鹤子,樵婢渔童,可称绝对。人生眷属,得此足矣。

【注释】

①累人:拖累于人。

②林和靖退隐杭州,喜种梅养鹤,有梅妻鹤子之说。

③张志和退隐后,自号烟波钓徒,上赐奴婢各一人,张将其配为夫妻,号渔童、樵青。

## 一三四　清高亦应识时务

**涉猎虽曰无用,犹胜于不通古今;清高固然可嘉,莫流于不识时务。**

黄交三曰：南阳抱膝[1]时，原非清高者可比。

江含征曰：此是心斋经济语[2]。

张竹坡曰：不合时宜，则可；不达时务，奚其可？

尤悔庵曰：名言，名言！

【注释】

①南阳抱膝：代指隐居山林的高士。似从诸葛亮躬耕南阳的典故而来。

②经济语：有关经国济民的话。

## 一三五　美人标配

**所谓美人者，以花为貌，以鸟为声，以月为神，以柳为态，以玉为骨，以冰雪为肤，以秋水为姿，以诗词为心，吾无间然矣[1]。**

冒辟疆曰：合古今灵秀之气，庶几铸此一人。

江含征曰：还要有松蘗之操才好。

黄交三曰：论美人而曰"以诗词为心"，真是闻所未闻。

**【注释】**

①吾无间然矣：意谓十全十美，无话可说。《论语·泰伯》："禹，吾无间然矣。"

## 一三六　蝇蚊观点

**蝇集人面，蚊嘬人肤，不知以人为何物？**

陈康畴曰：应是头陀[①]转世，意中但求布施也。

释菌人曰：不堪道破。

张竹坡曰：此南华[②]精髓也。

尤悔庵曰：正以人之血肉，只堪供蝇蚊咀嚼耳。以我视之，人也；自蝇蚊视之，何异腥膻臭腐乎？

陆云士曰：集人面者，非蝇而蝇；嘬人肤者，非蚊而蚊。明知其为人也，而集之嘬之，更不知其以人为何物？

**【注释】**

①头陀：佛教苦行之一，佛教僧人行头陀时，应守衣、食、住三方面的十二项苦行。

②南华：庄子的代称。《唐会要·杂记》："天宝元年二月二十日敕文，追赠庄子南华真人，所著书为《南华真经》。"

## 一三七　有乐而不知享

**有山林隐逸之乐而不知享者，渔樵也、农圃也、缁黄[①]也。**

**有园亭姬妾之乐而不能享、不善享者，富商也、大僚[②]也。**

弟木山曰：有山珍海错而不能享者，庖人[③]也；有牙签玉轴[④]而不能读者，蠹鱼[⑤]也、书贾也。

【注释】

①农圃：农人。缁黄：僧人缁服，道士冠黄，此处以缁黄代指僧人和道士。

②僚：官吏。《后汉书·孝顺帝纪》："内外群僚，莫不哀之。"

③庖人：厨师。《庄子·逍遥游》："庖人虽不治庖，尸祝不越樽俎而代之矣。"

④牙签：象牙做的书签。玉轴：玉做的书轴。这里代指图书。

⑤蠹鱼：一种蛀蚀衣物和书籍的小虫。白居易《伤唐衢》诗："今日开箧看，蠹鱼损文字。"

# 一三八　物各有偶

**黎举云:“欲令梅聘海棠,枨子想是橙臣樱桃,以芥嫁笋,但时不同耳!”予谓物各有偶,拟必于伦。今之嫁娶,殊觉未当。如梅之为物,品最清高;棠之为物,姿极妖艳。即使同时,亦不可为夫妇。不若梅聘梨花,海棠嫁杏,橼臣佛手,荔枝臣樱桃,秋海棠嫁雁来红,庶几相称耳。至若以芥嫁笋,笋如有知,必受河东狮子之累矣。**

弟木山曰:余尝以芍药为牡丹后,因作贺表一通。兄曾云:“但恐芍药未必肯耳!”

石天外曰:花神有知,当以花果数升谢蹇修[①]矣。

姜学在曰:雁来红做新郎,真个是老少年[②]也。

**【注释】**

①蹇修:代称媒人。

②老少年:雁来红的别名。

## 一三九　惟黑与白无太过

**五色有太过，有不及，惟黑与白无太过。**

杜茶村曰：君独不闻唐有李太白乎？

江含征曰：又不闻“元之又元[①]”乎？

尤悔庵曰：知此道者，其惟弈乎？老子曰：“知其白，守其黑[②]。”

**【注释】**

①元：即玄，黑色。清代为避康熙帝玄烨讳，改玄为元。

②知其白，守其黑：语出老子《道德经·第二十八章》：“知其白，守其黑，为天下式。”

## 一四〇　赘句可笑

**许氏《说文》[①]，分部有止有其部，而无所属之字者。下必注云：“凡某之属，皆从某。”赘句[②]殊觉可笑，何不省此一句乎？**

谭公子曰：此独民县[③]到任告示耳。

王司直曰：此亦古史之遗。

【注释】

①《说文》:指东汉许慎所作的《说文解字》,是我国第一部系统分析字形和考究字源的字书,也是世界上最古的字书之一。

②赘句:累赘多余的句子。

③独民县:只有一个人的县。此句从上文《说文》某部只有一个字的体例而拟,冯梦龙在《桂枝儿·谑部·山人》中的评论中曾讲一个独民县的笑话。

## 一四一　人生快意事

**阅《水浒传》,至鲁达打镇关西、武松打虎,因思人生必有一桩极快意事,方不枉在生一场。即不能有其事,亦须著得一种得意之书,庶几无憾耳。**如李太白有贵妃捧砚事[①],司马相如有文君当垆事[②],严子陵有足加帝腹事[③],王之涣、王昌龄有旗亭画壁事[④],王子安有顺风过江作《滕王阁序》事[⑤]之类。

张竹坡曰:此等事,必须无意中方做得来。

陆云士曰:心斋所著得意之书颇多,不止一打快活林、一打景阳冈称快意矣。

弟木山曰:兄若打中山狼[⑥],更极快意。

【注释】

①贵妃捧砚：史传李白酒后奉旨作诗，向唐玄宗要求让杨贵妃捧砚，高力士脱靴。

②文君当垆：司马相如和卓文君私奔后，生活困顿，相如“买一酒舍酤酒，而令文君当垆”。事见《史记·司马相如列传》。

③足加帝腹：《后汉书·逸民传》记：汉光武帝刘秀与严子陵叙旧，“因共偃卧，光以足加帝腹上”。光：即严光，字子陵，东汉隐士。

④旗亭画壁：薛用弱《集异记》记有唐代诗人王之涣、王昌龄和高适在旗亭饮酒，唤歌伎唱诗，每当唱到自己的诗作，便画壁记之的轶事。

⑤王子安：即唐代诗人王勃，字子安。王到交趾省亲，夜梦水神告之将“助风一帆”，到南昌后，遇洪州刺史阎伯屿宴庆滕王阁的重修，王遂写成千古名篇《滕王阁序》。

⑥中山狼：原为寓言《东郭先生》中忘恩负义的狼，后以其比喻忘恩负义的人。

## 一四二　春风如酒

**春风如酒，夏风如茗，秋风如烟、如姜芥①。**

许筠庵曰：所以秋风客②气味狠辣。

张竹坡曰：安得东风夜夜来？

【注释】

①姜芥：生姜，芥末。皆为味辛辣的调料。

②秋风客：指不看脸色上门乞助的客人。

## 一四三　冰裂纹宜细

**冰裂纹[1]极雅，然宜细，不宜肥，若以之作窗栏，殊不耐观也。**冰裂纹须分大小，先作大冰裂，再于每大块之中，作小冰裂，方佳。

江含征曰：此便是哥窑纹也。

靳熊封曰："一片冰心在玉壶"，可以移赠。

**【注释】**

①冰裂纹：陶瓷釉面的一种纹形。

## 一四四　鸟声之最佳者

**鸟声之最佳者，画眉第一，黄鹂、百舌次之。然黄鹂、百舌，世未有笼而畜之者，其殆高士之俦[1]，可闻而不可屈者耶？**

江含征曰：又有"打起黄莺儿[2]"者，然则亦有时用他不着。

陆云士曰："黄鹂住久浑相识，欲别频啼四

五声。”来去有情，正不必笼而畜之也。

【注释】

①其殆高士之俦：几乎与高士的品行差不多。

②打起黄莺儿：见唐诗人金昌绪的《春怨》：“打起黄莺儿，莫教枝上啼。啼时惊妾梦，不得到辽西。”

## 一四五　专务交游必累己

**不治生产，其后必致累人；专务交游，其后必致累己。**

杨圣藻曰：晨钟夕磬[①]，发人深省。

冒巢民曰：若在我，虽累己累人，亦所不悔。

宗子发曰：累己犹可，若累人则不可矣。

江含征曰：今之人未必肯受你累，还是自家稳些的好。

【注释】

①磬：一种打击乐器，以玉石等材料制成。《楚辞·大招》：“叩钟调磬，娱人乱只。”

## 一四六　诲淫非识字之过

**昔人云："妇人识字，多致诲淫[①]。"予谓此非识字之过也。盖识字则非无闻之人，其淫也，人易得而知耳。**

张竹坡曰：此名士持身[②]不可不加谨也。

李若金曰：贞者识字愈贞，淫者不识字亦淫。

**【注释】**

①妇人识字，多致诲淫：语出明徐谟《归有园麈谈》："妇人识字，多致诲淫；俗子通文，终流健讼。"

②持身：把握自己，修身的意思。

## 一四七　山水亦书也

**善读书者，无之而非书，山水亦书也，棋酒亦书也，花月亦书也。**

**善游山水者，无之而非山水，书史亦山水也，诗酒亦山水也，花月亦山水也。**

陈鹤山曰：此方是真善读书人、善游山水人。

黄交三曰：善于领会者，当作如是观。

江含征曰：五更卧被时，有无数山水、书籍，在眼前胸中。

尤悔庵曰：山耶，水耶，书耶？一而二，二而三，三而一者也。

陆云士曰：妙舌如环，真慧业[1]文人之语。

**【注释】**

①慧业：佛教语，指生来就赋有智慧的业缘。

## 一四八　园亭之妙在朴素

**园亭之妙在丘壑布置，不在雕绘琐屑。往往见人家园亭，屋脊墙头，雕砖镂瓦，非不穷极工巧，然未久即坏，坏后极难修葺，是何如朴素之为佳乎？**

江含征曰：世间最令人神怆者，莫如名园雅墅，一经颓废，风台月榭，埋没荆棘。故昔之贤达，有不欲置别业者。予尝过琴虞，留题名园句有云："而今绮砌雕阑在，剩与园丁作业钱。"盖伤之也。

弟木山曰：予尝悟作园亭与作光棍[①]二法。园亭之善，在多回廊；光棍之恶，在能结讼。

**【注释】**

①光棍：这里指恶棍。

## 一四九　邀月言愁

**清宵独坐，邀月言愁；良夜孤眠，呼蛩语恨[①]。**

袁士旦曰：令我百端交集。

黄孔植曰：此逆旅无聊之况，心斋亦知之乎？

**【注释】**

①呼蛩语恨：向蟋蟀诉说自己的郁闷。蛩：蟋蟀。王维《早秋山中作》诗："草间蛩响临秋急，山里蝉声薄暮悲。"

## 一五〇　官声采于舆论

**官声[①]采于舆论，豪右[②]之口与寒乞之口，俱**

**不得其真。**

**花案定于成心[③]，艳媚之评与寝陋[④]之评，概恐失其实。**

黄九烟曰：先师有言："不如乡人之善者好之，其不善者恶之。"

李若金曰：豪右而不讲分上，寒乞而不望推恩[⑤]者，亦未尝无公论。

倪永清曰：我谓众人唾骂者，其人必有可观[⑥]。

**【注释】**

①官声：为官的名声。

②豪右：豪门大户。《后汉书·明帝纪》："滨渠下田，赋与贫人，无令豪右得固其利。"

③花案：对歌伎的品评。花：旧时指歌伎。成心：偏见，偏心。

④艳媚：漂亮。寝陋：容貌丑陋。《新唐书·郑注传》："貌寝陋.不能远视。"

⑤推恩：施恩惠于他人。《孟子·梁惠王上》："故推恩足以保四海，不推恩无以保妻子。"

⑥其人必有可观：这个人一定有值得肯定的地方。

## 一五一　胸藏丘壑

**胸藏丘壑，城市不异山林；兴寄烟霞，阎浮**

**有如蓬岛①。**

【注释】

①阎浮：梵语，即阎浮提，在佛经中指印度。蓬岛：传说中的海上仙岛。

## 一五二　梧桐列清品

**梧桐为植物中清品，而形家①独忌之甚，且谓“梧桐大如斗，主人往外走”，若竟视为不祥之物也者。夫剪桐封弟②，其为宫中之桐可知，而卜世③最久者，莫过于周。俗言之不足据，类如此夫！**

江含征曰：爱碧梧者，遂艰于白镪④，造物盖忌之，故靳⑤之也。有何吉凶休咎⑥之可关？只是打秋风时，光棍样可厌耳。

尤悔庵曰：“梧桐生矣，于彼朝阳⑦。”《诗》言之矣。

倪永清曰：心斋为梧桐雪千古之奇冤，百卉俱当九顿⑧。

【注释】

①形：形状，地势。形家：这里指风水先生。

②剪桐封弟:《史记·晋世家》记:周成王幼时与弟唐叔虞玩耍,剪桐叶封弟。周公知此事后,认为天子无戏言,遂封叔虞于唐。

③卜世:用占卜预测传国的世数。《史记·楚世家》:"卜世三十,卜年七百,天所命也。"

④艰于白镪:很穷的意思。白镪:即白银。

⑤靳:吝惜。《后汉书·崔寔传》:"悔不小靳,可至于万。"

⑥休咎:吉凶,善恶。

⑦梧桐生矣,于彼朝阳:见《诗经·大雅·卷阿》。

⑧九顿:以头顿地,一种礼节。如"顿首"。

## 一五三　性情难移

**多情者不以生死易心,好饮者不以寒暑改量,喜读书者不以忙闲作辍**[①]**。**

朱其恭曰:此三言者,皆是心斋自为写照。

王司直曰:我愿饮酒读《离骚》,至死方辍,何如?

**【注释】**

①作辍:停止,中止。

## 一五四 蛛为蝶之敌国

**蛛为蝶之敌国，驴为马之附庸。**

周星远曰：妙论解颐[①]，不数[②]晋人危语隐语。

黄交三曰：自开辟以来，未闻有此奇论。

【注释】

①解颐：开颜欢笑。鲍照《东门行》诗："丝竹徒满堂，忧人不解颐。"

②不数：不亚于，不逊于。

## 一五五 道学与风流

**立品[①]须发乎宋人之道学，涉世须参以晋代之风流[②]。**

方宝臣曰：真道学未有不风流者。

张竹坡曰：夫子自道也。

胡静夫曰：予赠金陵前辈赵容庵句云："文章鼎立庄骚外，杖履风流晋宋间。"今当移赠山老。

倪永清曰：等闲地位，却是个双料圣人。

陆云士曰：有不风流之道学，有风流之道学，有不道学之风流，有道学之风流，毫厘千里③。

**【注释】**

①立品：指修身。

②晋代风流：谓晋代文人才高恃物、不拘礼法、高迈不羁的风度，后人称之为“魏晋风度”。

③毫厘千里：是“差若毫厘，谬之千里”的缩语。形容极细微的差异，会造成迥然不同的后果。

## 一五六　禽兽草木知人伦

**古谓禽兽亦知人伦，予谓匪独禽兽也，即草木亦复有之。**

**牡丹为王，芍药为相，其君臣也①；南山之乔，北山之梓，其父子也②；荆之闻分而枯，闻不分而活，其兄弟也③；莲之并蒂，其夫妇也④；兰之同心，其朋友也⑤。**

江含征曰：纲常伦理，今日几于扫地⑥，合向花木鸟兽中求之。又曰：心斋不喜迂腐，此却有腐气。

**【注释】**

①古时本来没有牡丹与芍药之分,统称为芍药,唐以后才分开,将木芍药称作牡丹。

②典出《尚书大传》,商子以南山之乔,北山之梓教导周公的两个儿子事父。后以乔梓喻父子。

③传说汉田真三兄弟要分家,堂前的紫荆花闻之而枯;不分家了,又闻之而活。见吴均《续齐谐记》。

④莲之并蒂:两朵根蒂连在一起的莲花。古人常以此形容相亲相爱的夫妇。

⑤兰之同心:语出《易·系辞上》:"二人同心,其利断金;同心之言,其臭如兰。"形容经久不渝、深厚融洽的友情。

⑥几:接近,几乎,差不多。扫地:一败涂地。

## 一五七　豪杰易于圣贤

**豪杰易于圣贤①,文人多于才子。**

张竹坡曰:豪杰不能为圣贤,圣贤未有不豪杰,文人才子亦然。

**【注释】**

①豪杰:才能出众的人。《孟子·滕文公上》:"陈良,楚产也,悦周公仲尼之道,北学于中国;北方之学者,未能或之先也。彼所谓豪杰之士也。"圣贤:人格品德高尚的人。

## 一五八　牛马之一仕一隐

**牛与马，一仕而一隐也；鹿与豕，一仙而一凡也。**

杜茶村曰：田单之火牛[①]，亦曾效力疆场。至马之隐者，则绝无之矣。若武王归马于华山之阳[②]，所谓勒令致仕[③]者也。

张竹坡曰："莫与儿孙作牛马"，盖为后人审出处语也。

**【注释】**

①田单：战国时齐国人，曾用火牛阵大破燕国的军队。

②武王伐纣，建立周朝后，曾放马于华山之阳，偃武修文，后人称为放马南山。

③致仕：辞官隐居。《后汉书·刘般传》："永宁元年，称病上书致仕。"

## 一五九　古今至文

**古今至文[①]，皆血泪所致。**

吴晴岩曰：山老《清泪痕》一书，细看皆是

血泪。

江含征曰：古今恶文，亦纯是血。

【注释】

①至文：最好的文章：至：极，最。《孟子·尽心下》："以至仁伐至不仁。"

## 一六〇　才情二字

**"情"之一字，所以维持世界；"才"之一字，所以粉饰乾坤。**

吴雨若曰：世界原从情字生出，有夫妇然后有父子，有父子然后有兄弟，有兄弟然后有朋友，有朋友然后有君臣。

释中洲曰：情与才缺一不可。

## 一六一　儒释之别

**孔子生于东鲁，东者生方，故礼乐文章，其道皆自无而有。**

**释迦生于西方，西者死地，故受想行识[1]，其教皆自有而无。**

吴街南曰：佛游东土，佛入生方；人望西天，岂知是寻死地？呜呼！西方之人兮，之死靡他[2]。

殷日戒曰：孔子只勉人生时用功，佛氏只教人死时作主，各自一意。

倪永清曰：盘古生于天心[3]，故其人在不有不无之间。

**【注释】**

①受想行识：指释迦牟尼的学说和行为。

②之死靡他：意谓走向死亡而没有其他的选择。之：往。靡：莫。

③盘古：即盘古氏，我国神话中开天辟地的人。《太平御览》中记载："天地混沌如鸡子，盘古生其中。"

## 一六二　有青山方有绿水

**有青山方有绿水，水惟借色于山；有美酒便有佳诗，诗亦乞灵于酒。**

李圣许曰：有青山绿水，乃可酌美酒而咏佳诗，是诗酒又发端[1]于山水也。

**【注释】**

①发端：起源。

## 一六三　讲学者

**严君平[①]以卜讲学者也，孙思邈[②]以医讲学者也，诸葛武侯[③]以出师讲学者也。**

殷日戒曰：心斋殆又以《幽梦影》讲学者耶？

戴田友曰：如此讲学，才可称道学先生。

【注释】

①严君平：即西汉隐士严遵，字君平，成帝时，在成都以卜巫为生，日得百钱即闭门讲授《老子》，一生不愿做官。

②孙思邈：唐代医学家，陕西人。他总结了唐以前的临床经验和医学理论，著有《千金要方》等。

③诸葛武侯：即诸葛亮，三国蜀汉政治家、军事家，曾五次出师伐魏，争夺中原。

## 一六四　人则女美于男

**人则女美于男，禽则雄华于雌，兽则牝牡[①]无分者也。**

杜于皇曰：人亦有男美于女者，此尚非确论。

徐松之曰：此是茶村兴到之言，亦非定论。

【注释】

①牝：雌性的鸟兽。牡：雄性的鸟兽。

## 一六五　镜不幸而遇嫫母

**镜不幸而遇嫫母**[①]**，砚不幸而遇俗子，剑不幸而遇庸将，皆无可奈何之事。**

杨圣藻曰：凡不幸者，皆可以此概也。

闵宾连曰：心斋案头无一佳砚，然诗文绝无一点尘俗气，此又砚之大幸也。

曹冲谷曰：最无可奈何者，佳人定随痴汉。

【注释】

①嫫母：传说中的古代丑妇。王褒《四子讲德论》："嫫母倭傀，善誉者不能掩其丑。"

## 一六六　有书必当读

**天下无书则已，有则必当读；无酒则已，有则必当饮；无名山则已，有则必当游；无花月则已，有则必当赏玩；无才子人佳人则已，有则必当爱慕怜惜。**

弟木山曰：谈何容易，即我家黄山，几能得一到耶？

## 一六七　岂甘作鸦鸣牛喘

**秋虫春鸟，尚能调声弄舌，时吐好音。我辈搦管拈毫，岂可甘作鸦鸣牛喘①？**

吴园次曰：牛若不喘，宰相安肯问之②？

张竹坡曰：宰相不问科律，而问牛喘，真是文章司命③。

倪永清曰：世皆以鸦鸣牛喘为凤歌鸾唱，奈何？

**【注释】**

①鸦鸣牛喘：形容写出的诗文不成样子。

②《汉书·西吉传》记，汉宣帝时，宰相丙吉见牛喘而问疾于民。
③司命：传说中主灾咎的星名。

## 一六八　镜而有知

**嫫颜陋质[1]，不与镜为仇者，亦以镜为无知之死物耳。使镜而有知，必遭扑破矣。**

江含征曰：镜而有知，遇若辈早已回避矣。

张竹坡曰：镜而有知，必当化嫫为妍[2]。

**【注释】**

①嫫颜陋质：形容丑陋的容貌。
②化嫫为妍：以丑为美的意思。此句是对镜子的打趣。

## 一六九　百忍之背后

**吾家公艺，恃百忍以同居，千古传为美谈[1]。殊不知忍而至于百，则其家庭乖戾睽隔之处，正未易更仆数也[2]。**

江含征曰：然除了一忍，更无别法。

顾天石曰：心斋此论，先得我心。忍以治

家可耳，奈何进之高宗，使忍以养成武氏[③]之祸哉？

倪永清曰：若用“忍”字，则百犹嫌少，否则以“剑”字处之足矣。或曰：“出家”二字足以处之。

王安节曰：惟其乖戾睽隔，是以要忍。

【注释】

①吾家公艺：即唐代张公艺，九世同居，上问其故，写百余“忍”字回答。

②乖戾睽隔：形容隔膜和不协调。正未易更仆数也：很难数清楚的意思。

③武氏：指武则天。武氏在公元655年被高宗立为皇后，参与朝政，号天后，与高宗并称“二圣”。故此句讲“使忍以养成武氏之祸”。

## 一七〇　割股庐墓不可法

**九世同居，诚为盛事，然止当与割股庐墓[①]者作一例看，可以为难矣，不可以为法也，以其非中庸之道也。**

洪去芜曰：古人原有父子异宫之说。

沈契掌曰：必居天下之广居而后可。

【注释】

①割股：割下身上的股肉，给父母治病。这和庐墓一起，均被看作是封建社会的孝道。庐墓：古礼遇君父、尊长之丧，在墓旁筑小屋居住，称庐墓。《宋史·选举志一》：“上以孝取人，则勇者割股，怯者庐墓。”

## 一七一　作文之法

**作文之法，意之曲折者，宜写之以显浅之词；理之显浅者，宜运之以曲折之笔。题之熟者，参之以新奇之想；题之庸者，深之以关系之论。**

**至于窘者舒之使长，缛者删之使简，俚者文之使雅，闹者摄之使静，皆所谓裁制也。**

陈康畴曰：深得作文三昧语。

张竹坡曰：所谓节制[①]之师。

王丹麓曰：文家秘旨，和盘托出，有功作者不浅。

【注释】

①节制：本意指调度和管束，这里是恭维作者阐述的有关作文技巧达到了一个很高的简洁境界。

## 一七二　尤物

**笋为蔬中尤物[①]，荔枝为果中尤物，蟹为水族中尤物，酒为饮食中尤物，月为天文中尤物，西湖为山水中尤物，词曲为文字中尤物。**

张南村曰：《幽梦影》可为书中尤物。

陈鹤山曰：此一则，又为《幽梦影》中尤物。

**【注释】**

①尤物：最好的东西。李清照《金石录后序》："或者天意以余菲薄，不足以享此尤物耶。"

## 一七三　解语花

**买得一本好花，犹且爱护而怜惜之，矧[①]其为解语花乎？**

周星远曰：性至之语，自是君身有仙骨，世人那得知其故耶？

石天外曰：此一副心，今我念佛数声。

李若金曰：花能解语而落于粗恶武夫，或

遭狮吼戕贼，虽欲爱护何可得？

王司直曰：此言是恻隐之心，即是是非之心。

【注释】

①矧：况且。

## 一七四　观物识人

**观手中便面①，足以知其人之雅俗，足以识其人之交游。**

李圣许曰：今人以笔资丐名人书画，名人何尝与之交游？吾知其手中便面虽雅，而其人则俗甚也。心斋此条，犹非定论。

毕嶙谷曰：人苟肯以笔资丐名人书画，则其人犹有雅道存焉。世固有并不爱此道者。

钱目天曰：二语皆然。

【注释】

①便面：手中的折扇或团扇。杨万里《诚斋荆溪集序》："自此，每过午，吏散庭空，即携一便面，步后园，登古城，采撷杞菊，攀翻花竹。"

## 一七五　水火有情

**水为至污之所会归，火为至污之所不到。若变不洁为至洁，则水火皆然。**

江含征曰：世间之物，宜投诸水火者不少，盖喜其变也。

## 一七六　貌有丑而可观者

**貌有丑而可观者，有虽不丑而不足观者；文有不通而可爱者，有虽通而极可厌者。此未易与浅人[①]道也。**

陈康畴曰：相马于牝牡骊黄之外者[②]，得之矣。

李若金曰：究竟可观者必有奇怪处，可爱者必无大不通。

梅雪坪曰：虽通而可厌，便可谓之不通。

**【注释】**

①浅人：见识浅薄的人。

②牝牡：雌雄。骊：黑色。此句谓相马不必追求外在的差别。

## 一七七　山水之缘

**游玩山水亦复有缘，苟[①]机缘未至，则虽近在数十里之内，亦无暇到也。**

张南村曰：予晤心斋时，询其曾游黄山否，心斋对以未游，当是机缘未至耳。

陆云士曰：余慕心斋者十年，今戊寅之冬，始得一面。身到黄山恨其晚，而正未晚也。

**【注释】**

①苟：如果。

## 一七八　世风日下

**“贫而无谄，富而无骄”[①]，古人之所贤也；贫而无骄，富而无谄，今人之所少也。足以知世风之降矣。**

许来[②]庵曰：战国时已有贫贱骄人之说矣。

张竹坡曰：有一人一时，而对此谄对彼骄者更难。

**【注释】**

①语出《论语·学而》："子贡曰：'贫而无谄，富而无骄，何如？'子曰：'可也；未若贫而乐，富而好礼者也。'"

②耒：疑为"来"或"�"。

## 一七九　读书游山无止境

**昔人欲以十年读书，十年游山，十年检藏。予谓检藏尽可不必十年，只二三载足矣。若读书与游山，虽或相倍蓰[1]，恐亦不足以偿所愿也。必也，如黄九烟前辈之所云，"人生必三百岁而后可"乎？**

江含征曰：昔贤原谓尽则安能，但身到处莫放过耳。

孙松坪曰：吾乡李长蘅先生，爱湖上诸山，有"每个峰头住一年"之句，然则黄九烟先生所云犹恨其少。

张竹坡曰：今日想来，彭祖反不如马迁[2]。

【注释】

①倍：二倍。蓰：五倍。

②彭祖：传说是颛顼帝玄孙陆终氏的第三子，尧封之于彭城，年八百岁。马迁：司马迁。

## 一八〇　宁为与毋为

**宁为小人之所骂，毋为君子之所鄙；宁为盲主司[1]之所摈弃，毋为诸名宿之所不知。**

陈康畴曰：世之人自今以后，慎毋骂心斋也。

江含征曰：不独骂也，即打亦无妨，但恐鸡肋不足以安尊拳[2]耳。

张竹坡曰：后二句足少平[3]吾恨。

李若金曰：不为小人所骂，便是乡愿；若为君子所鄙，断非佳士。

【注释】

①盲主司：指没有眼力的考官。

②鸡肋不足以安尊拳：语出《晋书·刘伶传》："尝醉与俗人相忤，其人攘袂奋拳而往，伶徐曰：'鸡肋不足以安尊拳。'其人笑而止。"

③少：稍微。平：平息。

## 一八一　傲骨不可无

**傲骨不可无，傲心不可有。无傲骨则近于鄙夫①，有傲心不得为君子。**

吴街南曰：立君子之侧，骨亦不可傲；当鄙夫之前，心亦不可不傲。

石天外曰：道学之言，才人之笔。

庞笔奴曰：现身说法，真实妙谛。

**【注释】**

①鄙夫：鄙陋浅薄的人。《论语·阳货》："鄙夫可与事君哉？"

## 一八二　虫中高士

**蝉为虫中之夷齐①，蜂为虫中之管晏②。**

崔青峙曰：心斋可谓虫中之董狐③。

吴镜秋曰：蚊是虫中酷吏④，蝇是虫中游客。

**【注释】**

①夷齐：指商竹君的儿子伯夷和叔齐。两人在商亡后不食周粟，饿死

山中。

②管晏：即春秋战国时期齐国的名相管仲和晏婴。后言大臣善治者，多以管晏并称。

③董狐：春秋时晋国史官，亦称史狐。后世以董狐为直言不讳的良史的代称。

④酷吏：滥用刑法残虐百姓的官吏。《史记》中有《酷吏列传》。

## 一八三　人乐居痴愚拙狂

**曰痴、曰愚、曰拙、曰狂，皆非好字面，而人每乐居之；曰奸、曰黠、曰强、曰佞①，反是，而人每不乐居之，何也？**

江含征曰：有其名者无其实，有其实者避其名。

**【注释】**

①佞：用花言巧语奉承人。

# 一八四　鸟兽易代而异

**唐虞[①]之际，音乐可感鸟兽[②]，此盖唐虞之鸟兽，故可感耳。若后世之鸟兽，恐未必然。**

洪去芜曰：然则鸟兽亦随世道为升降耶？

陈康畴曰：后世之鸟兽，应是后世之人所化身，即不无升降，正未可知。

石天外曰：鸟兽自是可感，但无唐虞音乐耳。

毕右万曰：后世之鸟兽，与唐虞无异，但后世之人迥不同耳。

【注释】

①唐虞：古史言陶唐氏（尧）和有虞氏（舜），皆以禅让有天下，故以唐虞时为太平盛世。《论语·泰伯》："唐虞之际，于斯为盛。"

②音乐可感鸟兽：典出《尚书·益稷》："箫韶九成，凤皇来仪。"

## 一八五　痛痒苦酸

**痛可忍，而痒不可忍；苦可耐，而酸不可耐。**

陈康畴曰：余见酸子，偏不耐苦。

张竹坡曰：是痛痒关心语。

余香祖曰：痒不可忍，须倩麻姑搔背[1]。

释牧堂曰：若知痛痒，辨苦酸，便是居士[2]悟处。

**【注释】**

①麻姑：传说中的仙女。《太平广记》载："蔡经见麻姑手指纤细似鸟爪，自念：'背大痒时，得此爪以爬背，当佳。'"

②居士：未做官的士人。《韩非子・外储》："齐有居士田仲者。"

## 一八六　镜中之影

**镜中之影，著色[1]人物也；月下之影，写意人物也。镜中之影，钩边画也；月下之影，没骨画也。月中山河之影，天文中地理也；水中星月之象，地理中天文也。**

恽叔子曰：绘空镂影之笔。

石天外曰：此种著色写意，能令古今善画人一齐搁笔。

沈契掌曰：好影子俱被心斋先生画着。

【注释】

①著色：着色。

## 一八七　能读无字之书

**能读无字之书，方可得惊人妙句；能会难通之解，方可参最上禅机[①]。**

黄交三曰：山老之学，从悟而入，故常有彻天彻地之言。

【注释】

①最上禅机：指最玄妙的禅意。

## 一八八　若无诗酒

**若无诗酒，则山水为具文[①]；若无佳丽，则花月皆虚设。**

【注释】

①具文：空文，徒有其文而实不副。《汉书·宣帝纪》："上计簿，具文而已，务为欺谩，以避其课。"

## 一八九　才子佳人之异

**才子而美姿容，佳人而工著作，断不能永年[①]者，匪独为造物之所忌。盖此种原不独为一时之宝，乃古今万世之宝，故不欲久留人世以取亵[②]耳。**

郑破水曰：千古伤心，同声一哭。

王司直曰：千古伤心者，读此可以不哭矣。

【注释】

①永年：长寿。《尚书·毕命》："资富能训，惟以永年。"

②取亵：遭辱。亵：轻慢，不庄重。

## 一九〇　曲逆之音

**陈平封曲逆侯，《史》、《汉》注皆云"音去遇"。予谓此是北人土音耳。若南人四音俱全，似仍当读作本音为是**北人于唱曲之"曲"，亦读如

"去"字。

孙松坪曰：曲逆，今完县也。众水潆洄[1]，势曲而流逆。予尝为土人订之，心斋重发吾覆[2]矣。

**【注释】**

①潆洄：水流回旋。

②发吾覆：揭开蔽障。

## 一九一　六、国之音

**古人四声俱备，如"六"、"国"二字皆入声也。今梨园演苏秦剧，必读"六"为"溜"，读"国"为"鬼"，从无读入声者。**

**然考之《诗经》，如"良马六之"、"无衣六兮"之类，皆不与去声叶[1]，而叶祝、告、燠；"国"字皆不与上声叶，而叶入陌、质韵。**

**则是古人似亦有入声，未必尽读"六"为"溜"、读"国"为"鬼"也。**

弟木山曰：梨园演苏秦，原不尽读"六国"为"溜鬼"。大抵以曲调为别，若曲是南调，则仍读入声也。

【注释】

①叶：叶韵，押韵。

## 一九二　忙人之砚必佳

**闲人之砚，固欲其佳，而忙人之砚，尤不可不佳。**

**娱情之妾，固欲其美，而广嗣之妾[1]，亦不可不美。**

江含征曰：砚美下墨可也，妾美招妒奈何？

张竹坡曰：妒在妾，不在美。

【注释】

①广嗣：生儿育女。《后汉书·郎顗传》："方今之福，莫若广嗣。"

## 一九三　独乐与众乐

**如何是独乐乐？曰鼓琴；如何是与人乐乐？曰弈棋；如何是与众乐乐？曰马吊[1]。**

蔡铉升曰：独乐乐，与人乐乐，孰乐[2]？曰：不若与人。与少乐乐，与众乐乐，孰乐？曰：不若与少。

王丹麓曰：我与蔡君异，独畏人为鬼阵，见则必乱其局而后已。

【注释】

①马吊：一种纸牌，共四十张，四人入局，人各八张，以大击小，变化甚多，明代甚为流行。

②独乐乐，与人乐乐，孰乐：语出《孟子·梁惠王》。

## 一九四　佛曰四生

**不待教而为善为恶者，胎生也；必待教而后为善为恶者，卵生也；偶因一事之感触而突然为善为恶者，湿生也**如周处、戴渊之改过，李怀光反叛之类；**前后判若两截，究非一日之故者，化生也**如唐玄宗、卫武公之类。

## 一九五　凡物皆以形用

**凡物皆以形用，其以神用者，则镜也、符印也、日晷[1]也、指南针也。**

袁中江曰：凡人皆以形用，其以神用者，圣

贤也、仙也、佛也。

黄虞外士曰：凡物之用皆形，而其所以然者，神也。镜凸凹而易其肥瘦，符印以专一而主其神机，日晷以恰当而定准则，指南以灵动而活其针缝，是皆神而明之，存乎人矣。

**【注释】**

①日晷：古代的一种测时仪器，由晷盘和晷针组成。

## 一九六　美人遇美人

**才子遇才子，每有怜才之心；美人遇美人，必无惜美之意。**

**我愿来世托生为绝代佳人，一反其局而后快。**

陈鹤山曰：谚云："鲍老当筵笑郭郎，笑他舞袖太郎当。若教鲍老当筵舞，转更郎当舞袖长。"则为之奈何？

郑蕃修曰：俟心斋来世为佳人时再议。

余湘客曰：古亦有"我见犹怜"者[①]。

倪永清曰：再来时，不可忘却。

【注释】

①犹：还，尚且。怜：爱。我见犹怜：我见了尚且觉得可爱。形容女子特别的美丽动人。典出南朝虞通之《妒记》。

## 一九七　祭才子佳人法会

**予尝欲建一无遮大会[1]，一祭历代才子，一祭历代佳人。俟遇有真正高僧，即当为之。**

顾天石曰：君若果有此盛举，请迟至二三十年之后，则我亦可以拜领盛情也。

释中洲曰：我是真正高僧，请即为之，何如？不然，则此二种沉魂滞魄，何日而得解脱耶？

江含征曰：折柬虽具，而未有定期，则才子佳人亦复怨声载道。又曰：我恐非才子而冒为才子，非佳人而冒为佳人，虽有十万八千母陀罗[2]臂，亦不能具香厨法膳也。心斋以为然否？

释远峰曰：中洲和尚，不得夺我施主。

【注释】

①无遮大会：办佛事的法会。

②母陀罗：梵语，指佛的法力。

## 一九八　圣贤者

**圣贤者，天地之替身。**

石天外曰：此语大有功名教[②]，敢不伏地拜倒？

张竹坡曰：圣贤者，乾坤之帮手也。

**【注释】**

①名教：以等级名分为核心的封建礼教。《世说新语·德行》："欲以天下名教是非为己任。"

## 一九九　天极不难做

**天极不难做，只须生仁人君子有才德者二三十人足矣。君一、相一、冢宰[①]一及诸路总制、抚军[②]是也。**

黄九烟曰：吴歌有云："做天切莫做四月天。"可见天亦有难做之时。

江含征曰：天若好做，不须女娲氏[③]补之。

尤谨庸曰：天不做天，只是做梦，奈何？

奈何？

倪永清曰：天若都生善人，君相皆当袖手，便可无为而治。

陆云士曰：极诞极奇之话，极真极确之话。

【注释】

①冢宰：周代的官名，为六卿之首。

②总制、抚军：均为古代官职名。

③女娲氏：神话古帝名，或谓伏羲之妹，或谓伏羲之妇。据《淮南子·览冥训》记："古时天崩地裂，女娲炼五彩石以补天。"

## 二〇〇　掷升官图

**掷升官图，所重在德，所忌在赃。何一登仕版[①]，辄与之相反耶？**

江含征曰：所重在德，不过是要赢几文钱耳。

沈契掌曰：仕版原与纸板不同。

【注释】

①仕版：借指仕途、官场。

## 二〇一　动物中有三教

**动物中有三教[1]焉：蛟龙麟凤之属，近于儒者也；猿狐鹤鹿之属，近于仙者也；狮子牯牛之属，近于释者也。**

**植物中有三教焉：竹梧兰蕙之属，近于儒者也；蟠桃老桂之属，近于仙者也；莲花薝卜之属，近于释者也。**

顾天石曰：请高唱《西厢》一句，"一个通彻三教九流"[2]。

石天外曰：众人碌碌，动物中蜉蝣[3]而已；世人峥嵘，植物中荆棘而已。

**【注释】**

①三教：自东汉佛教传入我国后，称儒、道、佛为三教。《北史·周纪》下："帝升高座，辨释三教先后，以儒教为先，道教次之，佛教为后。"

②见《西厢记》第四本第二折红娘所唱："秀才是文章魁首，姐姐是仕女班头；一个通彻三教九流，一个晓尽描鸾刺绣。"

③蜉蝣：本指一种生存期很短的昆虫，常用来比喻生命之短促。苏轼《前赤壁赋》："寄蜉蝣于天地，渺沧海之一粟。"

# 二〇二 佛氏之论

**佛氏云:"日月在须弥山腰。"果尔[1],则日月必是绕山横行而后可;苟有升有降,必为山巅所碍矣。**

**又云:"地上有阿耨达池,其水四出,流入诸印度。"**

**又云:"地轮之下为水轮,水轮之下为风轮,风轮之下为空轮。"**

**余谓此皆喻言人身也:须弥山喻人首,日月喻两目,池水四出喻血脉流动,地轮喻此身,水为便溺,风为泄气,此下则无物矣。**

释远峰曰:却被此公道破。

毕右万曰:乾坤交后,有三股大气,一呼吸、二盘旋、三升降。呼吸之气,在八卦为震巽,在天地为风雷、为海潮,在人身为鼻息。盘旋之气,在八卦为坎离,在天地为日月,在人身为两目,为指尖、发顶罗纹,在草木为树节、蕉心。升降之气,在八卦为艮兑,在天地为山泽,在人身为髓液便溺,为头颅肚腹,在草木为花叶之萌凋,为树梢之向天、树根之入地。知此,而寓言之出于二氏者,皆可类推而悟。

【注释】

①果尔：果真如此。

## 二〇三　苏东坡和陶诗

**苏东坡和陶诗[①]尚遗数十首。予尝欲集坡句以补之，苦于韵之弗备而止。如《责子》诗中“不识六与七”、“但觅梨与栗”，“七”字、“栗”字，皆无其韵也。**

【注释】

①苏东坡和陶诗：苏轼晚年曾用陶渊明诗韵和作百余首诗。

## 二〇四　偶得佳句

**予尝偶得句，亦殊可喜，惜无佳对，遂未成诗。其一为“枯叶带虫飞”，其一为“乡月大于城”，姑存之，以俟异日[①]。**

【注释】

①以俟异日：等待以后的日子。俟：等待。

# 二〇五　妙境

**“空山无人，水流花开”[①]二句，极琴心之妙境。**

**“胜固欣然，败亦可喜”[②]二句，极手谈[③]之妙境。**

**“帆随湘转，望衡九面”二句，极泛舟之妙境。**

**“胡然而天，胡然而帝”[④]二句，极美人之妙境。**

**【注释】**

①空山无人，水流花开：语出苏轼《十八罗汉颂》。

②胜固欣然，败亦可喜：语出苏轼《观棋》。

③手谈：下围棋。《世说新语·巧艺》：“王中郎（坦之）以围棋是坐隐，支公（遁）以围棋为手谈。”

④胡然而天，胡然而帝：语出《诗经·鄘风·君子偕老》，意思是为什么像天和帝那样高贵？

## 二〇六　受与施

镜与水之影，所受者也；日与灯之影，所施者也。月之有影，则在天者为受，而在地者为施也。

郑破水曰：受、施二字，深得阴阳之理。

庞天池曰：幽梦之影，在心斋为施，在笔奴为受。

## 二〇七　水声风声雨声

水之为声有四：有瀑布声，有流泉声，有滩声，有沟浍[①]声。

风之为声有三：有松涛声，有秋叶声，有波

**浪声。**

**雨之为声有二：有梧叶、荷叶上声，有承檐溜竹筒中声。**

弟木山曰：数声之中，惟水声最为可厌，以其无已[2]时，聒人耳也。

【注释】

①浍：田间的水沟。《孟子·离娄下》："七八月之间雨集，沟浍皆盈。"

②无已：无休止。

## 二〇八　文人好鄙薄富人

**文人每好鄙薄富人，然于诗文之佳者，又往往以金玉、珠玑、锦绣誉之，则又何也？**

陈鹤山曰：犹之富贵家张山臞野老落木荒村之画耳。

江含征曰：富人嫌其悭且俗耳，非嫌其珠玉文绣也。

张竹坡曰：不文虽富可鄙，能文虽穷可敬。

陆云士曰：竹坡之言，是真公道说话。

李若金曰：富人之可鄙者在吝，或不好史书，或畏交游，或趋炎热而轻忽寒士[1]。若非然者，则富翁大有裨益人处，何可少之？

【注释】

①轻忽：轻慢，忽视。寒士：门第低微或贫苦的读书人。杜甫《茅屋为秋风所破歌》："安得广厦千万间，大庇天下寒士俱欢颜，风雨不动安如山。"

## 二〇九　忙与闲

**能闲世人之所忙者，方能忙世人之所闲。**

## 二一〇　读经与读史

**先读经，后读史，则论事不谬于圣贤；既读史，复读经，则观书不徒为章句[①]。**

黄交三曰：宋儒语录中不可多得之句。

陆云士曰：先儒著书法累牍连章，不若心斋数言道尽。

王宓草曰：妄论经史者，还宜退而读经。

【注释】

①章句：书中的章节与句子，也指研究和分析古书章节句读。颜延年

《五君咏·向常侍》:“探道好渊玄,观书鄙章句。”

## 二一一　以书籍当朋友

**居城市中,当以画幅当山水,以盆景当苑囿[①],以书籍当朋友。**

周星远曰:究是心斋偏重独乐乐。

王司直曰:心斋先生,置身于画中矣。

**【注释】**

①苑囿:多指畜养禽兽的地方。大叫苑,小叫囿。《史记·高祖本纪》:“诸故秦苑囿园池,皆令人得田之。”此处指园林。

## 二一二　乡居得良朋始佳

**乡居须得良朋始佳,若田夫樵子,仅能辨五谷而测晴雨,久且数未免生厌矣。而友之中又当以能诗为第一,能谈次之,能画次之,能歌又次之,解觞政者[①]又次之。**

江含征曰:说鬼话者又次之。

殷日戒曰:奔走于富贵之门者,自应以善

说鬼话为第一，而诸客次之。

倪永清曰：能诗者必能说鬼话。

陆云士曰：三说递进，愈转愈妙，滑稽之雄。

【注释】

①觞政：酒令。刘向《说苑·善说》："魏文侯与大夫饮酒，使公乘不仁为觞政。"

## 二一三　花鸟品级

**玉兰，花中之伯夷**[①]**也**高而且洁。**葵，花中之伊尹**[②]**也**倾心向日。**莲，花中之柳下惠**[③]**也**污泥不染。**鹤，鸟中之伯夷也**仙品。**鸡，鸟中之伊尹也**司晨。**莺，鸟中之柳下惠也**求友。

【注释】

①伯夷：指商竹君的儿子伯夷，他和叔齐在商亡后不食周粟，饿死山中。

②伊尹：商初大臣，名伊，尹是官名。一说名挚。帮助汤攻灭夏桀。

③柳下惠：即展禽，春秋时鲁国大夫，食邑在柳下，谥惠。柳下惠以善于讲究贵族礼节著称。

## 二一四　虚受恶名者

**无其罪而虚受恶名者，蠹鱼也**蛀书之虫，另是一种，其形如蚕蛹而差小。**有其罪而恒逃清议**[①]**者，蜘蛛也**。

张竹坡曰：自是老吏断狱[②]。

李若金曰：予尝有除蛛网说，则讨之未尝无人。

【注释】

①清议：对时政的议论，也指社会舆论。

②老吏断狱：谓经验丰富的官吏判决案件。断狱：判案。《汉书·何武传》："往者诸侯王断狱治政，内史典狱事。"

## 二一五　臭腐化为神奇

**臭腐化为神奇，酱也、腐乳也、金汁**[①]**也；至神奇化为臭腐，则是物皆然**。

袁中江曰：神奇不化臭腐者，黄金也，真诗文也。

王司直曰：曹操、王安石文字，亦是神奇出于臭腐。

**【注释】**

①金汁：金属的溶液。一说用秽物过滤做成的药。

## 二一六　君子小人相攻

**黑与白交，黑能污白，白不能掩黑；香与臭混，臭能胜香，香不能敌臭。此君子小人相攻之大势也。**

弟木山曰：人必喜白而恶黑，黜臭而取香，此又君子必胜小人之理也。理在，又乌论乎势。

石天外曰：余尝言于黑处着一些白，人必惊心骇目，皆知黑处有白；于白处着一些黑，人亦必惊心骇目，以为白处有黑。甚矣，君子之易于形短[①]，小人之易于见长，此不虞之誉、求全之毁所由来也[②]，读此慨然。

倪永清曰：当今以臭攻臭者不少。

**【注释】**

①形短：相比较而显出短处。

②不虞之誉：没有意料到的赞扬。求全之毁：一心想保全名声，反而受到毁谤。语出《孟子·离娄上》："有不虞之誉，有求全之毁。"

## 二一七　耻与痛

**耻之一字，所以治君子；痛之一字，所以治小人。**

张竹坡曰：若使君子以耻治小人，则有耻且格[1]；小人以痛报君子，则尽忠报国。

**【注释】**

①有耻且格：意为有廉耻心，且口服心服。语出《论语·为政》："道之以德，齐之以礼，民有耻且格。"

## 二一八　镜不能自照

**镜不能自照，衡不能自权[1]，剑不能自击。**

倪永清曰：诗不能自传，文不能自誉。

庞天池曰：美不能自见，恶不能自掩。

**【注释】**

①衡不能自权：指衡器不能用来称自身的重量。

## 二一九　诗必穷而后工

**古人云："诗必穷而后工[①]。"盖穷则语多感慨，易于见长耳。若富贵中人，既不可忧贫叹贱，所谈者不过风云月露而已，诗安得佳？**

**苟思所变，计惟有出游一法，即以所见之山川风土、物产人情，或当疮痍兵燹之余，或值旱涝灾祲之后，无一不可寓之诗中。借他人之穷愁，以供我之咏叹，则诗亦不必待穷而后工也。**

张竹坡曰：所以郑监门《流民图》[②]独步千古。

倪永清曰：得意之游，不暇作诗；失意之游，不能作诗。苟能以无意游之，则眼光识力，定是不同。

尤悔庵曰：世之穷者多而工诗者少，诗亦不任受过也。

**【注释】**

①诗必穷而后工：语出北宋欧阳修《梅圣俞诗集序》："非诗之能穷人，殆穷者而后工也。"意谓诗人必须经过磨难，才能写出好的作品来。

②郑监门：即宋代郑侠，曾因见流民困苦，令作《流民图》送宋神宗，解民于倒悬。

# 幽梦续影

（清）朱锡绶 撰

## 〇〇一　真嗜菜根者志远

**真嗜酒者气雄，真嗜茶者神清，真嗜笋者骨癯，真嗜菜根者[1]志远。**

栗隐师云：余拟赠啸筠楹帖曰："神清半为编《茶录》，志远真能嗜菜根。"

【注释】

①嗜菜根者：能过艰苦生活的人。

## 〇〇二　鹤令人逸

**鹤令人逸，马令人俊，兰令人幽，松令人古。**

华山词客云：蛩令人愁[1]，鱼令人闲，梅令人癯，竹令人峭。

【注释】

①蛩：蟋蟀，其鸣有悲意。王维《早秋山中作》诗："草间蛩响临秋急，山里蝉声薄暮悲。"

## 〇〇三　善贾无市井气

**善贾无市井气[1]，善文无迂腐气。**

张石颀云：善兵[2]无豪迈气。

**【注释】**

①善贾：善于做买卖。《韩非子·五蠹》："长袖善舞，多钱善贾。"市井气：商人气息。

②兵：指带兵打仗。

## 〇〇四　得科第是善果

**学导引[1]是眼前地狱，得科第是当世轮回。**

陆眉生云：昵倡优[2]是眼下恶道。

**【注释】**

①导引：古代的一种养生术，以呼吸吐纳和活动关节来促进身体健康。《论衡·道虚》："人之导引动摇形体者，何故寿而不死？"

②昵：亲昵。倡优：戏子。

## 〇〇五　求忠臣必于孝子

**求忠臣必于孝子，余为下一转语云：求孝子必于情人[①]。**

熊箕舲云：情人又安所求之？

王问菜云：必也其在动心忍性中。

**【注释】**

①情人：感情丰富的人。

## 〇〇六　善杀风景者

**造化，善杀风景者也。其尤甚者，使高僧迎显宦[①]，使循吏困下僚[②]，使绝世之姝习弦索[③]，使不羁之士累米盐[④]。**

补桐生云：和尚四大皆空，虽迎显宦，无有显宦。

**【注释】**

①高僧：德行高的僧人。显宦：地位显赫的官吏。

②循吏：奉职守法的官吏。《史记》中有《循吏列传》。下僚：职位低微之属吏。左思《咏史》诗："世胄蹑高位，英俊沈下僚。"
③绝世之姝：绝代佳人。弦索：丝弦乐器。
④不羁之士：才高不拘的读书人。累米盐：即为米盐所累。

## 〇〇七　静坐

**日间多静坐，则夜梦不惊；一月多静坐，则文思便逸**[①]。

黄鹤笙云：甘苦自得。

**【注释】**

①文思便逸：文思飞扬的意思。逸：奔，跑。

## 〇〇八　观虹销雨霁时

**观虹销雨霁时，是何等气象；观风回海立时，是何等声势**。

陆又珊云：我师意殆谓改过宜勇，迁善[①]宜速。

【注释】

①迁善:改恶从善。《汉书·礼乐志二》:“光辉日新,化上迁善,而不知所以然。”

## 〇〇九　莫炫耀

**贪人之前莫炫宝,才人之前莫炫文,险人之前莫炫识[①]。**

悼秋云:妒妇之前莫炫色。

忏绮生云:妄人之前莫炫才。

【注释】

①险人:邪恶的人。《商君书·慎法》:“使民非战无以效其能,则虽险不得为诈。”

## 〇一〇　文人富贵

**文人富贵,起居便带市井;富贵能诗,吐属便带寒酸。**

华山词客云:不顾俗眼惊。

王寅叔云:黄白[①]是市井家物,风月是寒酸家物。

【注释】

①黄白：黄金和白银。《古今小说》卷二十三："老尼遂取出黄白一包，付生曰：'此乃小娘子平日所寄，今送还官人，以为路资。'"

## 〇一一　花是美人后身

**花是美人后身。梅，贞女也；梨，才女也；菊，才女之善文章者也；水仙，善诗词者也；酴醾，善谈禅者也；牡丹，大家中妇也；芍药，名士之妇也；莲，名士之女也；海棠，妖姬也；秋海棠，制于悍妇之艳妾也；茉莉，解事雏鬟也；木芙蓉，中年侍婢也。**

**惟兰为绝代美人，生长名阀[①]，耽于词画，寄心清旷，结想琴筑，然而，闺中待字[②]，不无迟暮之感。优此则绌彼，理有固然，无足怪者。**

眉影词人云：桂，富贵家才女也；剪秋罗，名士之婢妾也。

省缘师云：普愿天下勿栽秋海棠。

【注释】

①名阀：高贵的门第。阀：门第。韩愈《送文畅师北游》诗："荐绅秉笔

徒,声誉耀前阀。”

②闺中待字:指女子尚未出嫁。闺中:旧称女子所居的内室。待字:古代女子许嫁以后才起表字,所以女子未出嫁为“待字”。

## 〇一二　能受折磨者

**能食淡饭者方许尝异味,能溷市嚣者方许游名山,能受折磨者方许处功名。**

郑盦云:然则夫子何以不豫色然[①]?

【注释】

①不豫色然:不高兴的样子。

## 〇一三　空旷境界

**非真空不宜谈禅,非真旷不宜谈酒。**

莲衣云:居士奈何自信真空。

香祖主人云:始知吾辈大半假托空旷。

## 〇一四　善得天趣

**雨窗作画，笔端便染烟云；雪夜哦诗[1]，纸上如洒冰霰[2]。是谓善得天趣。**

诗赪云：君师盛兰雪先生云："冰雪窖中人对语，更于何处着尘埃，冷况仿佛。"

**【注释】**

①哦诗：吟诗。哦：吟唱。梅尧臣《招隐堂寄题乐郎中》诗："日哦招隐诗，日诵归田赋。"

②冰霰：冰粒。

## 〇一五　破涕为笑

**凶年[1]闻爆竹，愁眼见灯花[2]，客途得家书，病后友人邀听弹琴，俱可破涕为笑。**

沈石生云：客中、病后、凶年、愁眼，奈何？

**【注释】**

①凶年：灾荒之年。老子《道德经·第三十章》："大军之后，必有凶年。"

②灯花：灯芯燃尽所结成的花形，旧时以为吉兆。杜甫《独酌成诗》："灯花何太喜，酒绿正相亲。"

## 〇一六　访友观物

**观门径可以知品，观轩馆可以知学，观位置可以知经济[1]，观花卉可以知旨趣，观楹帖可以知吐属，观图画可以知胸次，观童仆可以知器宇，访友不待亲接言笑也[2]。**

香祖主人云：此君随地用心，吾甚畏之。

**【注释】**

①位置：指官阶的高低。经济：经国济世的才干。

②访友不待亲接言笑也：意为访友不必亲谈，仅从上面所说，即可知该人的大概。

## 〇一七　三恨

**余亦有三恨，一恨山僧多俗，二恨盛暑多蝇，三恨时文多套[1]。**

赵享帚云：第三恨务请释之。

**【注释】**

①多套：多流于俗套。

## 〇一八　造化之功

**蝶使之俊，蜂使之雅，露使之艳，月使之温，庭中花斡旋[①]造化者也。**

**使名士增情，使美人增态，使香炉茗碗增奇光，使图画书籍增活色，室中花附益造化者也。**

星农云：啸筠之画庭中花，啸筠之诗室中花。

**【注释】**

①斡旋：协调之意。

## 〇一九　惜花与爱才

**无风雨不知花之可惜，故风雨者，真惜花者也；无患难不知才之可爱，故患难者，真爱才者也。风雨不能因惜花而止，患难不能因爱才而止。**

仙洲云：晴日则花之发泄太甚，富贵则才之剥削太甚，故花养于轻阴，才醇于微晦[①]。

**【注释】**

①微晦：倒一点小霉。逆境出人才的意思。

## ○二○　琴不可不学

**琴不可不学，能平才士之骄矜；剑不可不学，能化书生之懦怯。**

香轮词客云：中散善琴[①]，去不得骄矜二字。

毕雄伯云：气静则骄矜自化，何必学琴；气充则懦怯自除，何必学剑。

**【注释】**

①中散：即魏晋文学家嵇康，曾做过中散大夫，人称嵇中散，善鼓琴，为人狂放不羁。

## ○二一　有失造化本怀

**美味以大嚼尽之，奇境以粗游了之，深情以**

**浅语传之,良辰以酒食度之,富贵以骄奢处之,俱失造化本怀。**

张企崖云:黄白以悭吝守之,翻似曲体造化[①]。

【注释】

①黄白:指金银。翻:同“反”。曲体:细心体会。此句犹言悭吝守财的人反而是细心体会了造物者的用意。

## 〇二二　处境无两得

**楼之收远景者,宜游观不宜居住;室之无重门者,便启闭不便储藏;庭广则爽,冬累于风;树密则幽,夏累于蝉;水近可以涤暑,蚊集中宵[①];屋小可以御寒,客窘炎午[②]。君子观居身无两全,知处境无两得。**

少郭云:诚如君言,天下何者为安宅?

【注释】

①中宵:夜半时分。晋陶潜《陶渊明集》三:“怀役不边寐,中宵尚孤征。”

②窘:困,不好受。炎午:炎夏的中午。

## 〇二三　忧时怒时戒

**忧时勿纵酒，怒时勿作札。**

粟隐师云：非杜康[1]何以解忧？

【注释】

①杜康：传说最早造酒的人，后因称酒为杜康。曹操《短歌行》："何以解忧，唯有杜康。"

## 〇二四　不做不知

**不静坐不知忙之耗神者速，不泛应[1]不知闲之养神者真。**

钱云在云：不阅历不知《幽梦续影》之说理者精。

【注释】

①泛应：广泛地交往应酬。

## ○二五　笔苍者学为古

**笔苍者学为古，笔隽者学为词，笔丽者学为赋，笔肆者学为文。**

篑舲云：笔高浑者学为诗。

## ○二六　读古碑宜迟

**读古碑宜迟，迟则古藻徐呈[1]；读古画宜速，速则古香顿溢；读古诗宜先迟后速，古韵以抑而后扬；读古文宜先速后迟，古气以揠而后永。**

梅亭云：若得摩诘辋川真本[2]，肯使其古香顿溢乎？

**【注释】**

①迟：慢。徐呈：慢慢地呈现。

②摩诘：即唐代诗人王维，字摩诘。晚年居辋川，绘《辋川图》。

## 〇二七　长生与长乐

**物随息生，故数息①可以致寿；物随气灭，故任气可以致夭。欲长生，只在呼吸求之；欲长乐，只在和平求之。**

澹然翁云：信数息而不信导引，何耶？

**【注释】**

①数息：默数自己的呼吸，古代的一种健身方法。

## 〇二八　雪之妙在能积

**雪之妙在能积，云之妙在不留，月之妙在有圆有缺。**

二如云：月妙在缺，天下更无恨事。

香轮云：山之妙在峰回路转，水之妙在风起波生。

## 〇二九　为雪朱阑

**为雪朱阑①，为花粉墙，为鸟疏枝，为鱼广池，为素心开三径②。**

梅花翁云：一二句画理，三四句天机，第五句古人风。

**【注释】**

①朱阑：把栏杆涂成红色。朱：作动词解。

②素心：本心。李白《赠从弟南平太守之遥》诗之二："素心爱美酒，不是顾专城。"三径：古代以三径代指归隐的居处。

## 〇三〇　筑园必因石

**筑园必因①石，筑楼必因树，筑榭必因池，筑室必因花。**

春山云：园亭之妙，一字尽之，曰借，即因之类耳。

**【注释】**

①因：依靠，凭借。《国语·鲁语上》："立新家，不因民不能去旧。"

## 〇三一　牡丹对书斋

**梅绕平台，竹藏幽院，柳护朱楼，海棠依阁，木犀匝庭，牡丹对书斋，藤花蔽绣闼[①]，绣毯傍亭，绯桃照池，香草漫山，梧桐覆井，酴醿隐竹屏，秋色[②]倚阑干，百合仰拳石，秋萝亚曲阶，芭蕉障文窗，蔷薇窥疏帘，合欢俯锦帏，柽花媚纱槅。**

鄂生云：红杏出墙，黄菊缀篱，紫藤掩桥，素兰藏室，翠竹碍户。

**【注释】**

①绣闼：女子的闺房，也称绣户。沈佺期《古歌》："璇闺窈窕秋夜长，绣户徘徊明月光。"

②秋色：雁来红等花卉，古称秋色。

## 〇三二　遗笔四称

**花底填词，香边制曲，醉后作草[①]，狂来放歌，是谓遗笔四称[②]。**

师白云：月下舞剑，亦一绝也。

怡云云：绝塞谈兵，空江泛月，亦觉雄旷。

【注释】

①草：指书法中的草书。

②遣笔：指动笔。称：好，美好。《论衡·逢遇》："无细简之才，微薄之能，偶以形佳骨娴，皮媚色称。"

## 〇三三　谈禅空天怀

**谈禅不是好佛，只以空我天怀；谈元不是羡老[1]，只以贞我内养[2]。**

稚兰云：谈诗不是慕李杜，只以写我性情。

【注释】

①谈元：即谈玄，谈论哲理的意思。《世说新语·容止》："王夷甫容貌整丽，妙于谈玄。"老：老庄学说。魏晋时期，玄即指老庄哲学。

②贞：正。内养：内在的修养。

## 〇三四　路之奇者不深入

**路之奇者入不宜深，深则来踪易失；山之奇者入不宜浅，浅则异境不呈[1]。**

警甫云：知此方可陟[2]历。

【注释】

①异境：奇异的景色与境界。

②陟：登高。

## 〇三五　动中仍须静

**木以动折，金以动缺，火以动焚，水以动溺，惟土宜动。然而思虑伤脾，燔炙生冷皆伤胃，则动中仍须静耳。**

粟隐云：藏府[1]精微，隔垣洞见。

【注释】

①藏府：即脏腑。《素问·脉解》："阴气下而复上，上则邪客于藏府间。"

## 〇三六　习静觉日长

**习静觉日长，逐忙觉日短，读书觉日可惜**[①]。

桐生云：客途日长，欢场日短，侍亲日[②]可惜。

**【注释】**

①可惜：值得珍惜。惜：爱惜，珍视。《晋书·陶侃传》："大禹圣者，乃惜寸阴。"

②侍亲日：和父母在一起的日子。

## 〇三七　少年处不得顺境

**少年处不得顺境，老年处不得逆境，中年处不得闲境。**

涧雨云：中年闲境，最是无憀[①]。

**【注释】**

①憀：此处当与"聊"通假。

## 〇三八　读书则口不浊

**素食则气不浊，独宿则神不浊，默坐则心不浊，读书则口不浊。**

华潭云：焚香则魂不浊，说士[1]则齿不浊。

【注释】

①说士：游说之士。《史记·绛侯周勃世家》："勃不好文学，每诏诸生说士，东乡坐而责之。"

## 〇三九　清景自有笙歌意

**空山瀑走，绝壑松鸣，是有琴意；危楼[1]雁度，孤艇风来，是有笛意；幽涧花落，疏林鸟坠，是有筑意[2]；画帘波漾，平台月横，是有箫意；清溪絮扑，丛竹雪洒，是有筝意；芭蕉雨粗，莲花漏续，是有鼓意；碧瓯茶沸，绿沼鱼行，是有阮意[3]；玉虫[4]妥烛，金莺坐枝，是有歌意。**

卧梅子云：阮字疑琵琶之误。

雪蕉云：海棠倚风，粉篁洒雨，是有舞意。

【注释】

①危楼：高楼。危：高。

②筑：古代的一种乐器。

③阮：古代乐器名，相传为晋人阮咸所造，故名。

④玉虫：指灯花。杨万里《和范至能参政寄二绝句》诗："锦字展来看未足，玉虫挑尽不成眠。"

## 〇四〇　琴医心

**琴医心，花医肝，香医脾，石医肾，泉医肺，剑医胆。**

蝶隐云：琴味甘平，花辛温，香辛平而燥，石苦寒，泉甘平微寒，剑辛烈有小毒。

## 〇四一　盲人

**对酒不能歌，盲于口；登高不能赋，盲于笔；古碑不能模，盲于手；名山水不能游，盲于足；奇才不能交，盲于胸；庸众不能容，盲于腹；危词[1]不能受，盲于耳；心香不能嗅，盲于鼻。**

伯寅云：由此观之，不盲者鲜矣。

【注释】

①危词:逆耳的忠言。

## ○四二　静与忙

**静一分,慧一分;忙一分,愦一分[①]。**

憩云居士云:静中参动是大般若[②],忙里偷闲是三菩提[③]。

【注释】

①愦:糊涂,昏乱。

②般若:梵语,智慧的意思。

③菩提:梵语,意谓明辨善恶,觉悟真理。

## ○四三　文王梦熊

**至人无梦,下愚亦无梦,然而文王梦熊[①],郑人梦鹿[②]。圣人无泪,强悍亦无泪,然而孔子泣麟[③],项王泣骓[④]。**

梅生云:漆园梦蝶[⑤],不过中材。

【注释】

①文王梦熊：史传周文王打猎，有太史占卦后告之，将在渭阳得一人才，“非虎非罴，兆得公侯，天遣汝师，以之佐昌”，后文王果然在渭水边求得姜子牙，拜为国师。

②郑人梦鹿：据《列子·周穆王》记载，有郑人打柴，毙一鹿，藏之，翌日去取，已忘其地，故疑为一场梦。

③孔子泣麟：《公羊传·哀公十四年》：“春，西守获麟……孔子曰：‘孰为来哉！孰为来哉！’反袂拭面，涕沾袍。”

④项王泣骓：《史记·项羽本纪》记载项羽兵败后有“时不利兮骓不逝，骓不逝兮可奈何”之叹，“美人和之，项王泣数行下”。

⑤漆园梦蝶：即庄周梦蝶。漆园：地名，《史记·老子传》记庄子曾在漆园为吏，故也称庄子为漆园。

## 〇四四　感恩酸心

**感逝酸鼻，感恩酸心，感情酸手足。**

无隐生云：有友患手足酸麻，医不能立方①，惜未以《幽梦续影》示之也。

【注释】

①立方：开药方。

## 〇四五　花中头品

**水仙以玛瑙为根，翡翠为叶，白玉为花，琥珀为心，而又以西子[①]为色，以合德[②]为香，以飞燕[③]为态，以宓妃[④]为名，花中无第二品矣。**

退省先生云：莫清于水，莫灵于仙，此花可谓名称其实。

梅花翁云：虽谓陈思一赋[⑤]，为此花写照犹恐唐突。

**【注释】**

①西子：即西施，春秋时越国美女。

②合德：赵飞燕之妹，相传其肤香滑。

③飞燕：即赵飞燕，汉成帝之后。

④宓妃：伏羲之女，溺死洛水，为洛水之神。

⑤陈思：即陈思王曹植，有《洛神赋》传世。

## 〇四六　小园玩景各相宜

**小园玩景，各有所宜。**

**风宜环松杰阁，雨宜俯涧轩窗，月宜临水平**

**台，雪宜半山楼槛，花宜曲廊洞房，烟宜绕竹孤亭，初日宜峰顶飞楼，晚霞宜池边小彴[1]。**

**雷者天之盛怒，宜危坐佛龛。雾者天之肃气，宜屏居邃闼[2]。**

云在云：是十幅界画画。

二如云：雷景鲜有能玩之者。

**【注释】**

①彴：独木桥。也指水中的踏脚石。

②邃闼：隐处的房间。

## ○四七　富贵而牢骚者

**富贵作牢骚语，其人必有隐忧；贫贱作意气语，其人必有异能。**

梅亭云：意气最害事，贫贱时有之，即他日骄侈之根。

## ○四八　顺逆规律

**高柳宜蝉，低花宜蝶，曲径宜竹，浅滩宜芦，**

**此天与人之善顺物理[1]，而不忍颠倒之者也；胜境属僧，奇境属商，别院属美人，穷途属名士，此天与人之善逆物理，而必欲颠倒之者也。**

忏绮生云：庭树宜月。

蝶缘云：非颠倒则造化不奇。

【注释】

①物理：事物的道理。

## 〇四九　名山镇俗

**名山镇俗，止水[1]涤妄，僧舍避烦，莲花[2]证趣。**

莲衣云：坐莲舫中，遂使四美具[3]。

少郭云：余每过莲舫，见其舆盖阗塞[4]，未知能避烦否也。

稚兰云：为下一转语曰："老僧于此避烦。"

【注释】

①止水：静止不流的水。《庄子·德充符》："人莫鉴于流水，而鉴于止水。"

②莲花：佛座，又称莲台。

③四美具：古人以良辰、美景、赏心、乐事为四美。王勃《滕王阁序》："四美具，二难并。"

④舆盖阒塞：形容门前车马多。舆盖：车盖。

## 〇五〇　不可教条

**星象要按星实测，拘不得成图；河道要按河实浚[①]，拘不得成说；民情要按民实求，拘不得成法；药性要按药实咀，拘不得成方。**

退省子云：隐然赅[②]天地人物。

**【注释】**

①浚：疏通河道。《汉书·沟洫志》："屯氏河不流行七十余年，新绝未久，其处易浚。"

②赅：完备，具备。

## 〇五一　笑谱

**奇山大水，笑之境也；霜晨月夕，笑之时也；浊酒清琴，笑之资也；闲僧侠客，笑之侣也；抑郁磊落，笑之胸也；长歌中令[①]，笑之宣也；鹘叫猿啼，笑之和也；棕鞋桐帽，笑之人也。**

玉洤生云：可作一则笑谱读。

【注释】

①长歌中令：古典诗词曲的体式。

## 〇五二　医花十剂

**医花十剂：壅以补之，水以润之，露以和之，摘以宣之，火以泄之，日以涩之，雨以滑之，风以燥之，祛蠹[①]以养之，纱笼纸帐以护之。**

梅花翁云：瓶供钗簪，非惜花者也。

小清闷阁主人云：石以镇之，香以表之。

【注释】

①祛蠹：除虫。

## 〇五三　一字难尽

**癯字不能尽梅，淡字不能尽梨，韵字不能尽水仙，艳字不能尽海棠。**

退省云：幽字不能尽兰，逸字不能尽菊。

兰丹云：曩[①]于武原陈氏园池，见退红莲花数茎，实兼癯、淡、韵、艳、幽、逸六字之胜。

【注释】

①曩：从前。《汉书·贾谊传》："曩之为秦者，今转而为汉矣。然其遗风余俗，犹尚未改。"

## 〇五四　果叶之艳于花者

**樱桃以红胜，金柑以黄胜，梅子以翠胜，葡萄以紫胜，此果之艳于花者也；银杏之黄，乌桕之红，古柏之苍，筼筜[①]之绿，此叶之艳于花者也。**

亨帚生云：果之妙至荔枝而极，枝之妙至杨柳而极，叶之妙至贝多[②]而极，花之妙至兰蕙而极。枝叶并妙者莫如松柏，花叶并妙者莫如水仙，花果并妙者莫如梅花，叶茎果无一不妙者莫如莲。

【注释】

①筼筜：幼竹。

②贝多：梵语，树名，其叶可以当纸，古时印度人往往用它写佛经。

## 〇五五　脂粉长丑

**脂粉长丑，锦绣长俗，金珠长悍。**

香祖云：与[①]富而丑，宁贫而美；与美而俗，宁丑而才；与才而悍，宁俗而淑。

【注释】

①与：与其。

## 〇五六　雨生绿萌

**雨生绿萌，风生绿情，露生绿精。**

省缘云：烟生绿魂，月生绿神。

竹侬云：香生绿心。

## 〇五七　村树宜诗

**村树宜诗，山树宜画，园树宜词。**

云在云：密树宜风，古树宜雪，远树宜云。

## ○五八　抟土成金欲皆满

**抟土成金无不满之欲，画笔成人无不偿之愿，缩地成胜无不扩之胸，感香成梦无不证之因**[①]**。**

冶水云：炼香为心无不艳之笔。

**【注释】**

①此句意思为：焚香供佛而致梦，从梦中悟出万事之因缘。

## ○五九　鸟宣情声

**鸟宣情声，花写情态，香传情韵，山水开情窟，天地辟情源。**

月舟云：雨濯情苗，月生情蒂。

萝月主人云：灯证情禅。

忏绮生云：诗孕情因，画契情缘，琴圆情趣。

## 〇六〇　将营精舍先种梅

**将营精舍[①]先种梅，将起画楼先种柳。**

箬溪云：将架曲廊先种竹，将辟水窗先种莲。

**【注释】**

①营：营造。精舍：学舍。《后汉书·党锢传》："立精舍讲授，诸生常数百人。"

## 〇六一　因人而异

**词章满壁，所嗜不同；花卉满圃，所指不同；粉黛[①]满座，所视不同。**

莲生云：江湖满地，所寄不同。

**【注释】**

①粉黛：指美人。白居易《长恨歌》："回眸一笑百媚生，六宫粉黛无颜色。"

## 〇六二　爱则知可憎

**爱则知可憎，憎则知可怜[1]。**

紫蕙云：怜则知可节取。

**【注释】**

①怜：怜悯，同情。《国语·晋语四》："晋公子之亡，不可不怜也。"

## 〇六三　读书是福

**云何出尘[1]？闭户是。云何享福？读书是。**

澧荪云：闭户读书，尘中无此福也。

**【注释】**

①出尘：出离尘世。

## 〇六四　厚施与即备急难

**厚施与即是备急难，俭婚嫁自然无怨旷[1]，教节省胜于裕留贻[2]。**

印青居士云：施与也要观人，婚嫁也要称家③。

【注释】

①怨：怨女，指未出嫁的女子。旷：旷夫，指未娶妻的男子。

②裕留贻：将丰裕的家产留给后人。

③称家：门当户对的意思。

## 〇六五　利解

**利字从禾，利莫甚于禾，劝勤耕也；从刀，害莫甚于刀，戒贪得也。**

春山云：酒从水，言易溺也；从酉，酉属金，亦是兵象①。

【注释】

①兵象：战争的迹象。

## 〇六六　乍得勿与

**乍[1]得勿与，乍失勿取，乍怒勿责，乍喜勿诺。**

戒定生云：乍责勿任，乍诺勿疑。

**【注释】**

①乍：突然。

## 〇六七　接人持己贵如一

**素深沉，一事坦率便能贻误；素和平，一事愤激便足取祸。**

**故接人不可以猝然改容[1]，持己不可以偶尔改度。**

无碍云：深沉人要光明，和平人要严肃。

**【注释】**

①接人：待人接物。改容：改变自己平日的形象。

## 〇六八　有深谋者不轻言

**有深谋者不轻言，有奇勇者不轻斗，有远志者不轻干进**[1]。

心白云：有侠肠者不轻施报。

**【注释】**

①干进：谋仕。屈原《离骚》："既干进而务入兮，又何芳之能祗。"

## 〇六九　宽厚以容物

**孤洁以骇俗，不如和平以谐俗**[1]**；啸傲以玩世，不如恭敬以陶世**[2]**；高峻以拒物，不如宽厚以容物**。

心逸云：能和平方许孤洁，能恭敬方许啸傲，能宽厚方许高峻。

**【注释】**

①谐俗：指于世俗社会和谐相处。

②陶世：乐世。陶：喜悦，欢喜。谢灵运《酬从弟惠连》诗："倘若果归

言，共陶暮春时。”

## 〇七〇　焚香垂帘

**冬室密，宜焚香；夏室敞，宜垂帘。焚香宜供梅，垂帘宜供兰。**

证泪生云：焚香供梅，宜读陶诗[①]；垂帘供兰，宜读楚些[②]。

【注释】

①陶诗：陶渊明的诗。

②楚些：《楚辞》。“些”为楚人习用的语气词，后因以代指《楚辞》。

## 〇七一　得侠客始蓄骏马

**楼无重檐则蓄鹦武[①]，池无杂影则蓄鹭鸶。园有山始蓄鹿，水有藻始蓄鱼。蓄鹤则临沼围阑，蓄燕则沿梁承板，蓄狸奴[②]则墩必装褥，蓄玉猧[③]则户必垂花。微波菡萏[④]多蓄彩鸳，浅渚菰蒲多蓄文蛤。蓄雉则镜悬不障[⑤]，蓄兔则草长不除。得美人始蓄画眉，得侠客始蓄骏马。**

梅臞云：有曲廊洞房，药炉茶臼，始蓄丽姝。有名花美酒，象板凤笙，始蓄歌伎。

【注释】

①婴武：即鹦鹉。

②狸奴：猫的别称。龚自珍《十月廿夜大风不寐起而书怀》诗："起书比语灯焰死，狸奴瑟缩偎帱茵。"

③猧：小狗。

④菡萏：荷花的别称。

⑤蓄雉则镜悬不障：典出宋范泰《鸾鸟诗序》："昔罽宾王得鸾鸟甚爱之，欲其鸣而不能致。夫人曰：'闻鸟得类而后鸣，何不悬镜以映之？'王从其言，鸾鸟睹影而鸣。"

## 〇七二　让一步

**任气语少一句，任足路让一步，任笔文检一番。**

问渔云：少一句气恬，让一步路宽，检一番文完①。

【注释】

①完：完美。

## ○七三　任怨与罪己

**以任怨为报德则真切，以罪己[1]为劝人则沉痛。**

华山词客云：任怨忌有德色，罪己不作劝词。

【注释】

①罪己：归罪于自己，自责。苏轼《乞校正陆贽奏议上进劄子》："罪己以收人心，改过以应天道。"

## ○七四　偏是市侩喜通文

**偏是市侩喜通文，偏是俗吏喜勒碑[1]，偏是恶妪喜诵佛，偏是书生喜谈兵。**

信甫云：偏是枯僧喜见女色。

子镜云：偏是贫士喜挥霍。

【注释】

①勒碑：将文字刻在石碑上。指为自己树碑立传的意思。勒：雕刻。

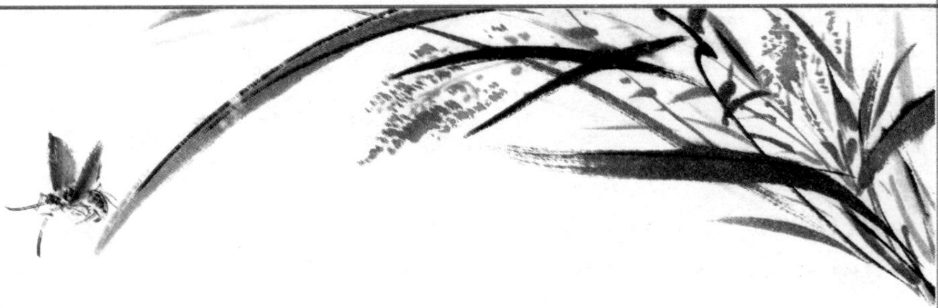

## 〇七五　真好色者必不淫

**真好色者必不淫，真爱色者必不滥。**

仲鱼云：拈花以微笑而止[①]，饮酒以微醺而止。

【注释】

①拈花以微笑而止：用"拈花微笑"的典故。《五灯会元》卷一："世尊在灵山会上，拈花示众，是时众皆默然，唯迦叶尊者破颜微笑。"

## 〇七六　侠士勿轻结

**侠士勿轻结[①]，美人勿轻盟[②]，恐其轻为我死也。**

心白云：猛将勿轻谒[3]，豪贵勿轻依，恐其轻任我以死也。

【注释】

①侠士不要轻易与人结拜。

②美人不要轻易与人山盟海誓。

③谒：进见。

## 〇七七　宁受嘑蹴之惠

**宁受嘑蹴之惠[1]，勿受敬礼之恩。**

问渔云：嘑蹴不报而亦安，敬礼虽报而犹歉。

【注释】

①嘑蹴之惠：不礼貌的帮助。语出《孟子·告子上》："嘑尔而与之，行道之人弗受；蹴尔而与之，乞人不屑也。"

## 〇七八　贫贱时少攀援

**贫贱时少一攀援[1]，他日少一掣肘；患难时少一请乞，他日少一疚心。**

仙洲云：富贵时少一威福，他日少一后悔。

【注释】

①攀援：用趋炎的方式求助于人。

## 〇七九　舞弊之人能防弊

**舞弊之人能防弊，谋利之人能兴利。**

沈箬溪云：利无小弊，虽兴不广；弊有小利，虽除不尽。

## 〇八〇　善诈者借我疑

**善诈者借我疑，善欺者借我察。**

安航云：故疑召诈，察召欺。

## 〇八一　过施弗谢

**过施弗谢，自反必太倨[1]；过求弗怒，自反必太卑。**

梁叔云：自反非倨，彼其人必系畸士；自反非卑，彼其人必为重臣。

【注释】

①接受人家太多的好处而不表感谢，反省自己一定是太傲慢了。倨：傲慢。《史记·汲郑列传》："黯为人性倨，少礼，面折，不能容人之过。"

## 〇八二　英雄割爱

**英雄割爱，奸雄割恩。**

兰舟云：爱根不断，终为儿女累。

## 〇八三　顺其自然

**天地自然之利，私之则争；天地自然之害，治之无益。**

箬溪钓师云：因所欲而与之，其利溥[①]矣。若其性而导之，其功伟矣。

【注释】

①溥：广大。

## 〇八四　诗之四时

**汉魏诗像春，唐诗像夏，宋元诗像秋，有明诗像冬，包含四时，生化万物，其国初诸老之诗乎[1]？**

蕙侬云：六朝诗像残春，晚唐诗像残暑。

【注释】

①此为恭维本朝诗人的话。

## 〇八五　鬼谷子方可游说

**鬼谷子[1]方可游说，庄子方可诙谐，屈子方可牢骚，董子[2]方可议论。**

玉洤生云：留侯方可持筹[3]，淮阴方可推毂[4]。

无碍云：老子是兵家之祖，鬼谷是法家之祖，庄子是词章家之祖。